Daoud Hari

De tolk

MIJN VERHAAL VAN DARFUR

Opgetekend door Dennis Michael Burke en
Megan M. McKenna

Vertaald door Mireille Vroege

ARENA

Oorspronkelijke titel: *The Translator*

This translation published by arrangement with Random House,
an imprint of Random House Publishing Group,
a division of Random House, Inc.

Omslagontwerp: DPS, Amsterdam
Foto voorzijde omslag: Jehad Nga / Corbis
Foto achterzijde omslag: Megan M. McKenna
Typografie en zetwerk: CeevanWee, Amsterdam
ISBN 978-90-6974-970-9
NUR 302

Voor mijn moeder
en alle vrouwen in Darfur

Inhoud

Inleiding

'Als God je been moet breken leert Hij je in elk geval mank lopen', zo luidt een Afrikaans gezegde. Dit boek is mijn armzalige manke loopje, een bescheiden verslag dat niet elk verhaal kan vertellen dat daarom vraagt. Ik heb in Darfur veel dingen gezien en gehoord die mijn hart hebben gebroken. Ik vertel u deze verhalen omdat ik weet dat de meeste mensen willen dat anderen een goed leven hebben en dat ze, als ze de situatie begrijpen, zullen doen wat ze kunnen om de wereld weer terug te brengen op het pad van de goedheid. Op die momenten bewonder ik de mens nog het meest.

Als u Egypte op de kaart kunt aanwijzen, gaat u van daaraf naar beneden en dan vindt u Soedan. De westkant van Soedan heet Darfur, en dat is ongeveer zo groot als Frankrijk. Darfur is voor het grootste gedeelte vlak; er zijn een paar bergen, maar vooral eindeloze vlaktes met kleine bomen, doornige struiken en zanderige rivierbeddingen.

Ik woonde met mijn familie in Darfur, totdat ons dorp werd aangevallen. Ons volk heet de Zaghawa. Wij zijn een traditionele herdersstam en wonen in permanente dorpen; onze grashutten zijn heel groot en rond, en hebben een puntdak dat lekker ruikt als het regent. Mijn jeugd was er een vol vrolijke avonturen, de uwe ook, hoop ik. U had waarschijnlijk een fiets en daarna uw eerste auto, en ik had een kameel, Kelgi, waar ik heel veel van hield en die ik heel hard kon laten lopen. Op koude nachten kwam hij wel eens de hut in, en dat vond iedereen best.

Wij Zaghawa zijn geen Arabieren, maar er woonden wel veel nomadische Arabieren bij ons in de buurt en een deel van mijn jeugd waren we vrienden van elkaar. Mijn vader nam me mee als er een feestmaal in hun tenten werd gehouden, en zij zaten ook bij feestmalen bij ons aan.

Dar betekent 'land'. De *Fur* zijn een stam die meer naar het zuiden woont en voornamelijk uit boeren bestaat. Een van de Fur-leiders was in de zestiende eeuw koning van het hele gebied. Daar heeft de streek zijn naam aan ontleend.

De laatste tijd zijn er honderdduizenden mensen uit mijn land vermoord, zoals u waarschijnlijk wel weet. Tweeënhalf miljoen anderen wonen nu onder moeilijke omstandigheden in een vluchtelingenkamp of houden zich schuil in verlaten valleien. Ik zal u uitleggen waarom dit zo is. Als u meer details wilt weten, vindt u achter in dit boek een hoofdstuk waarin ik hier dieper op inga.

Voor de toekomst geldt dat er maar één manier is waarop de wereld kan voorkomen dat er weer genocide plaatsvindt, en dat is door te zorgen dat de mensen van Darfur terug kunnen naar hun huis en dat ze bescherming krijgen. Als de wereld toestaat dat de mensen van Darfur voor altijd uit hun land verdreven worden en afstand moeten doen van hun manier van leven, zal de genocide ook op andere plaatsen plaatsvinden, omdat men dan gaat denken dat die werkt. We mogen niet toestaan dat het werkt. De mensen van Darfur moeten nu echt weer terug naar huis.

Ik schrijf dit voor hen, en voor die dag, en voor een bepaalde vrouw en haar drie kinderen in de hemel, en voor een bepaalde man en zijn dochter in de hemel, en voor mijn eigen vader en mijn broers in de hemel, en voor hen die nog leven, maar die op deze aarde nog geen mooi leven hebben.

Ik schrijf dit ook voor de vrouwen en meisjes van Darfur. U hebt hun gezichten gezien, gewikkeld in mooie kleuren, en u weet iets over wat ze hebben meegemaakt, maar ze zijn niet wat u denkt dat ze zijn. Ze zijn wel tot slachtoffer gemaakt, maar ze zijn veel eerder helden dan slachtoffers. Mijn tante Joyar bijvoorbeeld, was een beroemde krijger die zich kleedde als een man, die tegen kamelendieven en Arabische legers vocht, die voor de sport met mannen worstelde, en altijd won. Ze weigerde te trouwen, tot ze in de veertig was. Ik draag dit boek op aan haar en aan de meisjes uit mijn dorp die bij de ruige spelletjes die we in mijn jeugd deden sneller en sterker waren dan de jongens. Ik draag dit boek op aan mijn moeder, die als jonge vrouw in de wildernis een kring van leeuwen die onze koeien en schapen dreigden aan te vallen bij ze vandaan wist te houden, een hele dag, een hele nacht, en de hele ochtend daarna, louter en alleen met de kracht van haar stem en door twee stokken tegen elkaar te slaan. De kracht van haar stem, die ken ik heel erg goed.

In de buurt van mijn dorp ligt een mooie berg die we altijd het Dorp van God noemden. In de hele streek wordt de moslimgodsdienst beleden, zowel door inheems Afrikanen zoals ik als door de Arabische nomaden, maar mijn volk, en dan vooral de jonge mensen, is ook altijd de berg op gegaan om in de gaten in de rotsen offerandes te leggen. Daarin werden dan bijvoorbeeld vlees, gierst of wilde bloemen gelegd, met daarbij een brief aan God, waarin we Hem bedankten of een speciale gunst vroegen. Lang voordat de nieuwere godsdiensten bij ons in zwang kwamen werden deze geschenken en briefjes daar al neergelegd. Voor een jonge man of vrouw kun je in zo'n brief vragen of een bepaald ander jong iemand als zijn of haar partner gekozen wordt. Je kunt in zo'n brief vragen of grootvader weer beter mag worden, of dat er een goed regenseizoen komt, of dat de bruiloft mooi wordt en het huwelijk een succes. Of je vraagt gewoon of iedereen in het dorp beneden een goed nieuw jaar mag krijgen. Dus, God, in gedachten ben ik nu boven op de berg en ik leg er dit boek neer, als offerande aan U. En ik loof U in al Uw namen en ik loof Uw oude Moeder van de Aarde en alle Profeten en wijze mannen en vrouwen en Geesten van hemel en aarde, opdat zij ons in deze zware tijd mogen bijstaan.

En u, beste lezer, dank ik uit het diepst van mijn hart dat u deze reis wilt maken. Het is natuurlijk een vreselijk verhaal, maar er staan heel veel dingen in waarvan u zult opkijken, denk ik, en waardoor u blij zult zijn dat u met mij mee bent gegaan.

1
Een telefoontje onderweg

U weet vast wel hoe belangrijk het kan zijn om goed bereik met je telefoon te hebben. We reden in een Land Cruiser, onder de modder en de krassen, die een week daarvoor veel witter was geweest, door de bloedhete Afrikaanse woestijn. Onze chauffeur, een stamlid uit Darfur, net als ik, manoeuvreerde tussen stekelige acaciastruiken door, terwijl hij in het diepe zand van het zoveelste ravijn, dat wij een *wadi* noemen, behendig de versnellingspook bediende en over de hobbels in het terrein heen vloog, er zijn hoegenaamd geen wegen. Op de achterbank zat een jonge nieuwsfilmer uit Engeland, Philip Cox, die zich stevig vasthield terwijl we zo stuiterden en onze spullen in de auto rondgesmeten werden. Hij was een oude woestijnrot, en hij was goedgeluimd, zelfs na een lange week van stof en reizen en heel veel zware emotionele interviews. Overlevenden vertelden ons dat de dorpen 's nachts omsingeld waren door mannen met fakkels en machinegeweren, dat mannen, vrouwen en kinderen waren vermoord, dat in de grashutten van Darfur mensen levend waren verbrand. Ze vertelden ons over jonge meisjes die verkracht en verminkt waren, over jonge mannen die met machetes ter dood waren gebracht, soms wel tachtig achter elkaar, in een lange rij.

Je kunt daar als mens niet onberoerd onder blijven, maar als het je werk is om deze verhalen wereldkundig te maken, ga je gewoon door. Dus dat deden we dan ook.

Ik was Philips tolk en gids, en in die hoedanigheid moest ik ervoor zorgen dat we in leven bleven. Elk uur belde ik wel een paar keer met militair leiders van rebellengroepen of van het Nationale Leger van Tsjaad om te vragen of we deze kant op moesten of liever die kant, om gevechten of andere narigheid te ontlopen. Mijn grote verzameling telefoonnummers was de reden waarom veel verslaggevers het wel aandurfden om met mij Darfur in te gaan. Ik weet niet hoe Philip eigenlijk aan mijn mobiele nummer was gekomen, misschien van de Amerikaanse ambassade of van de Hoge Commissaris voor de Vluchtelingen van de VN, of van een van de hulporganisaties of van een verzetsgroep. Het leek wel of iedereen tegenwoordig mijn mobiele nummer had. Hij had het in elk geval niet gekregen van de regering van Soedan, want de regeringssoldaten zouden me meteen vermoorden als ze erachter kwamen dat ik een verslaggever het land in bracht.

Die telefoontjes via de satelliet – en vaak gewoon mobiele telefoontjes – waren vaak gericht aan aanvoerders die zeiden: 'Nee, als je hierheen komt overleef je het niet, want vandaag vechten we tegen die-en-die.' Dan zochten we een andere route.

Als de ene rebellengroep hoort dat je met een andere hebt gebeld, denken ze misschien dat je een spion bent, ook al doe je dat voor de journalist en voor het verhaal, de rebellen krijgen er niets voor terug. Ik moest heel voorzichtig met dat soort dingen zijn, wilde mijn verslaggevers Darfur weer levend kunnen verlaten, zodat er ook meer verhalen hun weg naar de wereld konden vinden. Sinds de aanval op mijn eigen dorp was dat voor mij de reden geworden, en ook echt mijn enige reden, om te willen leven. Ik voelde me vanbinnen vooral dood en wilde dat de dagen die mij nog restten ook ergens goed voor zouden zijn. Misschien hebt u zich ook wel eens zo gevoeld. De meeste jonge mannen met wie ik was opgegroeid, waren dood of vochten in het verzet; ik had er al voor gekozen om mijn leven in de waagschaal te stellen, maar in plaats van een geweer gebruikte ik daarvoor mijn kennis van het Engels.

We moesten voor zonsondergang op de plaats van bestemming aankomen, anders riskeerden we een aanval door het Soedanese leger of door de rebellen van Darfur die aan de kant van de regering stonden, of door andere rebellen die niet wisten wie we waren en die ons gewoon voor de zekerheid konden doden. Dus waren we helemaal niet blij met wat er hierna gebeurde.

Onze Land Cruiser werd plotseling staande gehouden door zes vrachtwagens die uit een wirwar van woestijnstruiken opdoemden. Het waren ook Land Cruisers, maar met het dak er helemaal af, zodat de mannen er elk moment in en uit kunnen, bijvoorbeeld als ze moeten zien te ontsnappen aan een gevecht dat ze verliezen of als ze ervandoor moeten voordat ze door een door een raket aangedreven granaat (RPG) worden geraakt. Er stapten bestofte mannen met kalasjnikovs uit. Op bevel van hun commandant richtten ze hun wapens op ons. Wanneer er zoveel wapens tegelijkertijd gespannen worden, geeft dat een knerpend geluid dat je niet snel vergeet. We stapten langzaam met onze handen boven ons hoofd uit de auto.

Het waren duidelijk rebellen: hun uniform bestond enkel uit een vieze spijkerbroek, hun munitiegordel hing over hun borst; hun losjes om hun hoofd gewikkelde tulband – sjaals eigenlijk – zat onder het stof van dagenlange gevechten. Met deze troepen reizen geen artsen mee; ze vechten bijna elke dag en laten hun makkers in ondiepe graven achter. Emotioneel gezien zijn het wandelende doden die hun toekomst in uren tellen. Daardoor worden ze vaak meedogenloos, alsof ze vinden dat iedereen net zo goed meteen met hen mee kan naar het volgende leven. Velen van hen hebben gezien hoe hun familie werd vermoord en hun dorp werd afgebrand. U kunt u wel voorstellen hoe u zich zou voelen als uw woonplaats weggevaagd werd en al uw familie werd gedood door een vijand naar wie je nu het land afzoekt, zodat je hem kunt doden en je zelf rustig kunt sterven.

Onder de rebellen bevinden zich de Soedanese Bevrijdingsbeweging, het Soedanese Bevrijdingsleger, de Beweging voor Rechtvaardigheid en Gelijkheid, en ze steken naar believen grenzen over. Waar ze hun wapens en geld vandaan halen is vaak een raadsel, maar vanaf de tijd dat Libië Tsjaad aanviel en Darfur als uitvalsbasis gebruikte, waren er in Darfur automatische wapens te over geweest. Verder moet u ook goed begrijpen dat Soedan zich heeft aangesloten bij radicale islamitische groeperingen en dat het land het grootste deel van zijn olie aan China geeft, maar dat is weer een heel ander verhaal. De rebellengroepen zouden dus door sommige westerse belangen en sommige omringende landen gesteund worden. Het is heel verdrietig dat gewone mensen van dit soort schaakspelletjes de dupe zijn.

Bijna de helft van Afrika bestaat uit weidegrond van herdersdorpen en voor een groot deel van deze grond geldt dat zich eronder grote rijkdommen bevinden en erop arme mensen. Er zijn ongeveer 300 miljoen Afrikanen die minder dan een dollar per dag verdienen en die vaak verdreven of gedood worden om dingen als olie, water, metaalerts en diamanten. Daardoor ontstaan er heel gemakkelijk rebellengroepen. De mannen die ons staande hielden hadden zich waarschijnlijk zonder slag of stoot bij deze groep aangesloten.

De vermoeid ogende jonge aanvoerder van de mannen liep naar me toe en zei in de Zaghawa-taal: 'Daoud Ibarahaem Hari, we weten alles van je. Je bent een spion. Ik weet dat je een Zaghawa bent, net als wij, maar we hebben jammer genoeg de opdracht gekregen je te doden.'

Hij kon zo zien dat ik een Zaghawa was, aan de littekentjes in de vorm van aanhalingstekens op mijn slapen, die er vlak na mijn geboorte door mijn oma in waren gesneden. Ik zei dat ik inderdaad een Zaghawa was, maar geen spion.

De aanvoerder zuchtte meewarig en zette toen de loop van zijn M14-geweer op een van deze littekens op mijn hoofd. Hij vroeg of ik stil wilde blijven staan en zei tegen Philip dat hij achteruit moest gaan. Hij zei ook nog even in gebroken Engels tegen Philip dat hij niet bang hoefde te zijn, dat ze hem, nadat ze mij hadden gedood, terug zouden sturen naar Tjsaad.

'Ja, prima, maar wacht even,' antwoordde Philip, en hij stak zijn hand op om de noodzakelijke handelingen een halt toe te roepen en mij ondertussen te raadplegen.

'Wat is er aan de hand?'

'Ze denken dat ik een spion ben en ze gaan het geweer afschieten en dan barst mijn hoofd uit elkaar, dus je moet een eindje achteruit gaan staan.'

'Wie zijn het?' vroeg hij.

Ik vertelde hem de naam van de groep, met een voorzichtig knikje in de richting van een voertuig waar op de zijkant met de hand hun initialen op geschilderd stonden.

Hij keek naar het voertuig en liet zijn handen naar zijn heupen zakken. Hij keek zoals Engelsen kijken als ze heel boos zijn om een ongemak dat nergens voor nodig is. Philip had een goed gedraaide tulband op; zijn huid was bruin en een beetje gebarsten van zijn vele avonturen in deze woestijnen. Hij was niet van plan om zomaar toe te kijken en een uitstekende tolk kwijt te raken.

'Wacht even!' zei hij tegen de rebellenaanvoerder. 'Niet... deze... man... doodschieten. Deze man is geen spion. Deze man is mijn tolk, hij heet Suleyman Abakar Moussa en hij komt uit Tsjaad. Hij heeft papieren.' Philip dacht dat ik zo heette. Die naam gebruikte ik om te voorkomen dat ik uit Tsjaad werd gedeporteerd, mijn wisse dood in Soedan tegemoet, waar ik gezocht werd, en om te voorkomen dat ik anderszins gedwongen werd in een vluchtelingenkamp in Tsjaad te blijven, waar ik niet veel kon uitrichten.

'Ik heb deze man in dienst genomen om met me mee te gaan; hij is geen spion. We maken een film voor de Engelse televisie. Begrijpt u dat? Het is echt van het allergrootste belang dat u dit begrijpt.' Hij vroeg of ik het wilde vertalen, gewoon voor de zekerheid, en dat deed ik gezien mijn omstandigheden maar al te graag.

Nog meer dan door wat hij zei bracht Philip door zijn manier van doen de aanvoerder aan het aarzelen. Ik zag hoe hij zijn vinger over de trekker liet gaan. De loop van het geweer voelde warm aan tegen mijn slaap. Had hij het net nog afgevuurd of was het gewoon warm van de zon? Als dit mijn laatste gedachten waren, moest ik proberen iets beters te denken, vond ik. Dus dacht ik aan mijn familie en aan hoeveel ik van hen hield en aan dat ik mijn broers misschien gauw weer zou zien.

'Ik ga even bellen,' legde Philip uit, en hij haalde langzaam zijn satelliettelefoon uit de zak van zijn kaki broek. 'U gaat deze man niet doodschieten, want jullie commandant zal kort via deze telefoon met u spreken. Begrijpt u dat?' Hij zocht een nummer op in zijn notitieboekje. Het was het privénummer van de hoofdcommandant van de rebellengroep. Hij had hem het jaar ervoor nog geïnterviewd.

'Jullie hoogste baas,' zei hij tegen alle schutters die als een vuurpeloton om ons heen stonden, terwijl hij wachtte tot hij verbinding kreeg. 'De hoogste baas. Ik bel nu zijn privénummer. Hij gaat over. Hoor maar: *tring, tring*.'

God is goed. De satelliettelefoon had goed bereik. Het nummer was nog steeds in gebruik. Ver weg nam de commandant zelf zijn telefoon op. Hij herinnerde zich Philip nog goed. Het ene wonder na het andere.

Philip praatte in rad Engels door de telefoon, dat ik rustig vertaalde voor de man die het geweer vasthield.

Philip stak al pratend één vinger op, en smeekte met die vinger en met zijn ogen om nog één tel, nog één tel. Hij lachte om te laten merken dat de man aan de telefoon en hij goede vrienden waren.

'Het zijn goede vrienden,' vertaalde ik.

Toen stak Philip de aanvoerder de satelliettelefoon toe, en die drukte de loop toen nog harder tegen mijn hoofd.

'Praat met hem. Alstublieft. Hij zegt dat u met hem moet praten, dat het een bevel is.'

De aanvoerder aarzelde even, alsof er een truc met hem werd uitgehaald, maar pakte de telefoon toen aan. De twee aanvoerders spraken langdurig met elkaar. Ik zag hoe de vinger die hij aan de trekker hield op- en neerging als een cobra en toen eindelijk wegviel. Ons werd te verstaan gegeven dat we het land ogenblikkelijk moesten verlaten.

Niet gedood worden is heel fijn. Daarna zit je urenlang te glimlachen, onophoudelijk, onnozel, zonder dat je er iets aan kunt doen. Ongelooflijk. Ik was niet doodgeschoten, *humdallah*. Broers van me, jullie zullen nog wat langer op me moeten wachten.

Onze chauffeur had al die tijd met grote ogen staan kijken, want chauffeurs brengen het er in dit soort situaties vaak niet al te best van af. Toen we in volle vaart terugreden naar de dorpen van Tine – dat jullie 'Tina' noemen – aan de grens van Tsjaad en Soedan, was er vreugde in de Land Cruiser en werd er gelachen.

'Ongelooflijk, wat je daar gedaan hebt,' zei ik tegen Philip. Voordat hij antwoord gaf waren we al een paar bomen verder.

'Ongelooflijk, ja. Ik probeer die vent namelijk al weken te pakken te krijgen,' zei hij. 'Mazzel, hoor.'

De chauffeur, die bijna geen Engels sprak, vroeg aan mij wat Philip had gezegd. Ik zei dat hij 'God is goed' had gezegd, want ik geloof ook eigenlijk dat hij dat bedoelde.

2
Wij zijn het!

Philip vroeg of ik nu Daoud of Suleyman heette. Ik vertelde hem dat ik Daoud heette als ik in de Darfur-gebieden van Soedan was, maar dat ik in Tsjaad Suleyman heette. Ik legde hem mijn situatie uit.

'Iedereen heeft hier wel heel veel namen,' luidde zijn reactie. Hij vroeg hoe ik het liefst genoemd werd. Daoud, graag, hoewel veel van mijn beste vrienden me ook David noemen, want daar is Daoud van afgeleid, uit de Bijbel. Ik vroeg hem het telefoonnummer van de commandant, en dat las hij me voor.

We reden Tsjaad weer in, trokken langs de grens omhoog en gingen verder naar het noorden Darfur weer in. We deden er verstandig aan om diezelfde rebellengroep niet nog een keer tegen het lijf te lopen. We zouden het verhaal voor Philip zien te krijgen, linksom of rechtsom, en Philip zou het de wereld vertellen. Als je in dit leven iets wilt bereiken, moet je sterker zijn dan je angsten.

Het probleem met de rebellengroepen is dat vaak moeilijk valt te bepalen wie op een bepaalde dag aan welke kant staat. De Arabische regering in Khartoum – de regering van Soedan – doet valse beloften om nu eens met de ene rebellengroep tijdelijk vrede te sluiten en dan weer met de andere, louter en alleen om te zorgen dat de niet-Arabieren tegen elkaar blijven vechten. De regering heeft te maken met ambitieuze aanvoerders die zo stom zijn om te denken dat de regering hen na de oorlog zal bevorderen, terwijl ze dan juist afgedankt worden, of misschien zelfs gedood. Die afvallige aanvoerders krijgen soms te horen dat ze andere rebellengroepen moeten aanvallen of zelfs hulpverleners moeten doden en soldaten die uit andere landen worden gestuurd om toe te zien op de naleving en de wapenstilstandverdragen. Dit doen ze om ervoor te zorgen dat de genocide door kan gaan en het land gezuiverd kan worden van de inheemse volken. Misschien dat de geschiedenis zal aantonen dat ik ongelijk heb, maar zo kijken de meeste mensen die in dat gebied wonen er nu wel tegen aan.

Ze denken ook dat de regering sommige traditionele Arabische volken, waarvan veel stammen normaal gesproken met ons bevriend zijn, geld betaalt om levensgevaarlijke milities te paard te vormen, *Janjaweed* genaamd, om de niet-Arabische Afrikanen wreed te vermoorden en onze dorpen plat te branden. Het woord *Janjaweed* is misschien afgeleid van een oud woord dat 'geloofskrijgers' betekent, maar het zou ook een combinatie van woorden kunnen zijn die 'slechte geesten te paard' betekent, of het betekent gewoon 'schutters te paard', zoals sommige mensen denken.

Ik voorspel dat als de regering alle traditionele niet-Arabieren heeft verwijderd of gedood, ze de traditionele Arabieren tegen elkaar zullen laten vechten, zodat zij ook van het kostbare land zullen verdwijnen. Dit is al gaande in gebieden waar bijna alle niet-Arabische Afrikanen verdwenen zijn.

'Waarom ben je net op tijd voor deze oorlog teruggekomen naar Darfur?' vroeg Philip me boven het geronk van de Land Cruiser uit toen we weer hotsend door wadi's en over zandbanken heen reden.

'Dat is een heel goede vraag!' riep ik lachend terug.

Als je op een dag de dood zo recht in de ogen hebt gekeken, moet je je wel afvragen wat je daar eigenlijk doet. Ja, je moet hier je werk doen, maar misschien ben je ook wel niet goed bij je hoofd dat je hier bent, terwijl je ook ver weg kunt zijn. Maar de dood zit me nu al heel lang op de hielen, vanaf mijn dertiende, toen de wereld om me heen in vlammen opging en ik voor het eerst mensen aan flarden de lucht in zag vliegen.

Mijn verhaal luidt als volgt. Ik was bezig met de klusjes die ik 's middags altijd moest doen en dacht aan de dorpsspelletjes die we 's avonds zouden spelen, *Anashel* en *Whee*, ruige sporten die we op het door de maan verlichte zand deden. Plotseling was ons dorp omringd door twintig legertrucks van de regering. De aanvoerder liet iedereen uit het dorp samendrijven en beval dat een paar mannen uit het dorp – best oude mannen – afgeranseld moesten worden. Hij wilde weten waar de jongere mannen zich precies bevonden; ze dachten dat die zich in de heuvels met de verzetsgroepen verscholen hielden. Daar zaten ze ook, maar de oude mannen wisten niet precies waar, dus de aanvoerder realiseerde zich al snel dat die afranselingen geen zin hadden. Hij stak zes hutten in brand om zijn bedoelingen duidelijk te maken.

Weersveranderingen hadden de Arabische nomaden ertoe gedwongen hun dieren verder naar het zuiden te laten grazen, in het gebied van de Zaghawa. In het verleden zouden ze daar toestemming voor gevraagd hebben en waren er waarschijnlijk een paar kamelen in andere handen overgegaan. Als er geen akkoord bereikt werd en als ze het water en het gras toch gebruikten, werden ze tot een gevecht om de eer uitgedaagd, op een traditioneel slagveld, ver van welk dorp ook. Na dat gevecht was de zaak dan de wereld uit en sloten de Arabieren en de Zaghawa meteen weer vriendschap, waarna ze bij elkaar thuis gingen eten.

Het verschil bestond er nu uit dat de Arabische regering van

Soedan partij koos voor de Arabische nomaden, aangezien ze de meer permanent gevestigde volken van het land wilden hebben. Sommigen van hen gaven ze wapens, helikopters, bommenwerpers en tanks om het geschil te beslechten. Hierdoor hadden de jonge Zaghawa-mannen zich bij verzetsgroepen aangesloten. De bevelhebbers van het Soedanese leger trokken nu van dorp naar dorp, op zoek naar deze krijgers, en zeiden tegen de vrouwen dat ze ervoor moesten zorgen dat hun man zijn wapens inleverde en dat anders hun huis in brand werd gestoken. Er werd ook druk op de mensen uitgeoefend om naar stadjes en steden te trekken 'waar ze veilig zouden zijn'. Als ze dat deden, kwamen ze daar echter in de meest barre armoede terecht.

De aanvoerder had mij en twee van mijn neven in de kraag gevat om voor hem te tolken, want hij wist dat we de schoolgaande leeftijd hadden en dat alle leerlingen gedwongen werden om een beetje Arabisch te leren, en dat sprak hij ook. Als je op school betrapt werd terwijl je Zaghawa sprak, of als je je Arabische woordjes niet kende, werd je met een kamelenzweep afgeranseld. De aanvoerder zette ons op de treeplank van zijn truck en liet ons al zijn bevelen vertalen over dat de wapens ingeleverd moesten worden. De vrouwen huilden en smeekten de soldaten op te houden met de afranselingen en de kinderen te laten gaan.

Vaak schoten zulke aanvoerders een paar mensen dood om de ernst van de zaak te benadrukken. In veel gevallen werd zo'n heel dorp dan platgebrand. Maar deze aanvoerder was niet zo onbuigzaam. Hij zei tegen ons, de drie kinderen, dat we hem de weg moesten wijzen naar een dorp waar hij hierna naartoe moest.

We wilden niet met hem mee, want in tegenstelling tot de vrouwen en de oude mannen die afgeranseld werden, wisten wij dat de verdedigers van het dorp in de steile wadi even buiten het dorp zaten te wachten om deze trucks aan te vallen. Maar we werden op de voorbank van de eerste truck geduwd en al snel reden we in volle vaart het dorp uit.

Plotseling klonken er overal om ons heen pijnlijk luide explosies en machinegeweerschoten. De trucks hielden halt en de soldaten sprongen eruit om hun posities in te nemen. Wij gilden uit het raam: 'Wij zijn het! Wij zijn het!' De aanvoerder trok ons naar buiten en terwijl hij ons als schild gebruikte rende hij de struiken in. We drukten ons gezicht heel dicht tegen het zand en de RPG-salvo's explodeerden in een paar trucks, waardoor de achterblijvers met sporen van rook achter zich aan en in een rode mist van bloed de lucht in vlogen. Er leek geen einde aan het hevige vuurgevecht te komen, maar in werkelijkheid duurde het maar een paar minuten: guerrillastrijders trekken zich altijd snel terug om een volgende keer weer te kunnen vechten. Toen er niet meer werd geschoten, stond de aanvoerder op en keek op ons neer.

'Volgens mij hebben jullie geholpen om mij in de val te laten lopen,' zei hij, terwijl hij met zijn pistool voor ons gezicht heen en weer zwaaide. We wachtten op de dood. Hij keek ons aan, schudde zijn hoofd en mompelde iets wat we niet verstonden, omdat onze oren nog tuitten van de explosies. Toen liep hij gewoon naar zijn mannen. Ze zochten hun doden en gewonden bij elkaar en reden in de trucks die het nog deden weg. We renden terug naar het dorp en schreeuwden: 'Wij zijn het!', voor het geval de verdedigers nog steeds in de struiken zaten. We werden door moeders en zusjes begroet. Ze huilden en dansten om ons heen, en zeiden keer op keer '*Humdallah!* Dank u wel, God!'

Wij drieën konden een paar dagen lang niet veel horen. Elf mensen waren dood, voornamelijk soldaten van het regeringsleger.

Vlak daarna stuurde mijn vader me naar school in de grootste stad van Noord-Darfur, in El Fasher. Ik was zijn jongste zoon. Ik ging bij een neef wonen en kon daar de basisschool afmaken en dan naar de middenschool en de middelbare school gaan. Ik vond het heel erg om van huis weg te moeten.

Het leven in El Fasher was overweldigend: te veel mensen, te veel auto's, te veel nieuwe dingen. De tweede week werd ik heel ziek, voornamelijk door heimwee. El Fasher is een stad met lemen huizen en zanderige straten; er waren zoveel straten dat ik voortdurend verdwaalde. Er zijn een paar overheidsgebouwen en er is een grote gevangenis waar verschrikkelijke dingen gebeurden, dat wist iedereen.

Mijn broer Ahmed wist van onze neven dat ik ziek was, dus kwam hij naar me toe. Hij bleef een week, tot ik beter was, liep met me naar school met zijn lange arm om mijn schouder en gaf me het gevoel dat ik weer thuis was. Hij zei dat het lot me gezegend had en dat ik op school goed mijn best moest doen. Wanneer hij maar kon kwam hij langs, en dat was best vaak. Hij liet me de goede dingen van de stad zien. Uiteindelijk ging ik het in El Fasher leuk vinden.

Ik kreeg een baantje voor na school: tafels schoonmaken in een restaurant. Ik keek voor het eerst in mijn leven televisie. Een neef zette zijn televisie dan voor zijn huis neer, zodat alle neven, nichten en buren konden kijken. Ik vond het maar niks, want het ging grotendeels over het regeringsleger van Soedan. Films vond ik wel leuk, maar de eerste die ik zag was er een van Clint Eastwood en toen er geschoten werd, dacht ik dat de kogels uit het toestel zouden vliegen en rende ik hard weg. Mijn neven en nichten kwamen lachend achter me aan.

In een bioscoop draaiden één keer per week Amerikaanse films en de rest van de tijd films uit India. Het was heel goedkoop; voor een paar muntjes van mijn restaurantgeld kon ik elke nieuwe film gaan bekijken.

In het restaurant, en van de oudere leerlingen, leerde ik meer over politiek. In die tijd waren er veel militaire operaties tegen de Zaghawa, en veel Zaghawa verlieten Fasher om zich bij verzetsgroepen aan te sluiten. Dictator Omar Hassar Ahmal al-Bashir had net de macht in Soedan gegrepen en dat maakte ons allemaal erg boos. Een commandant uit Tsjaad, ene Idriss Déby, vocht tegen de regering van Tsjaad en probeerde de macht over dat land te krijgen. Hij is een Zaghawa en wij vonden hem een grote held. Sommigen wilden zich bij hem aansluiten. Hij zou later de president van Tsjaad worden.

Deze strijd stond mij wel aan. Ik ging niet meer naar school en hield me twee weken schuil. Ik wilde met vrienden naar Tsjaad gaan en me bij Déby aansluiten.

Ahmed kwam en vond me. Hij ging met me onder een boom zitten en zei dat ik mijn verstand moest gebruiken om een beter leven te krijgen, en geen geweer. Hij zei dat het niet goed was om me af te wenden van de geschenken die ik van God en mijn familie had gekregen.

'Van mensen doodschieten word je geen man, Daoud,' zei hij. 'Je wordt pas een man als je datgene doet wat goed voor jou is.' En dus liepen we terug naar de stad en ging ik weer naar school. Dankzij een fantastische leraar kreeg ik belangstelling voor Engels en ik raakte verslingerd aan de klassiekers van Engeland en Amerika. Ik hield vooral erg van *Jane Eyre* van Charlotte Brontë, van *Schateiland* en *Ontvoerd* van Robert Louis Stevenson, van *Oliver Twist* van Charles Dickens, van *Boerderij der dieren* van George Orwell en van *Cry, The Beloved Country* van Alan Paton. Door die boeken veranderde ik; ze maakten mijn geest open en vrij. Ik had wel ook nog steeds oog voor politiek.

Rond deze tijd wilde mijn vader dat ik instemde met een gearrangeerd huwelijk en dat ik thuis zou komen om kamelenherder te worden, precies zoals de mannen van onze familie altijd al hadden gedaan. Het leek me wel wat, aangezien ik erg dol was op kamelen, maar ik wilde eerst iets van de wereld zien en ik wilde mijn vrouw zelf kiezen en wilde dat zij mij ook zou kiezen. Een kameel kan trouwens twintig jaar bij zijn mensen- of kamelenfamilie weg zijn en als hij dan op de een of andere manier terugkomt, kent hij ze nog steeds heel goed. Kamelen zijn volkomen trouw en heel liefdevol en moedig.

Mijn drang om iets meer van de wereld te zien was misschien wel ingegeven door alle televisieprogramma's en films, en vooral door de boeken die ik gelezen had. Ik maakte mijn opleiding af, verontschuldigde me bij mijn vader, die een eindje met me ging lopen, en zei dat ik op de een of andere manier voor mijn familie moest leren zorgen als ik ooit een man wilde worden. Toen ging ik naar Libië om een goede baan te zoeken.

Ik reisde er per kameel en daarna per truck naartoe. Déby, de nieuwe president van Tsjaad, reisde op datzelfde moment over land naar Libië. Met zijn autocolonne raakte hij hopeloos verdwaald in de woestijn. Helikopters uit Libië vonden bijna iedereen en gidsten hen verder. De karavaan van trucks waar ik in zat stuitte op de rest van zijn voertuigen en gaf de mannen water, waar ze erg om verlegen zaten. Bij een oase zag ik Déby staan en ik liep op hem af om hem te begroeten en de hand te schudden.

Als je per kameel, of zelfs per auto, door de Sahara reist, kun je gemakkelijk verdwaald raken tussen de duinen, er zijn geen wegen. Je rijdt maar wat.

Door het water voor de kamelen wordt een speciaal rood zout gemengd, dat in Noord-Darfur wordt gedolven, waardoor ze de lange reis kunnen maken. Aan paarden heb je hier niets, want je hebt al drie of vier kamelen nodig om het water en voer te vervoeren dat je voor één paard nodig hebt. Alleen kamelen is veel beter.

Als je in de zomermaanden reist, hebben de kamelen het heel zwaar door de zon en de hitte; in de wintermaanden halen de ijskoude zandstormen je gezicht open als je dat niet goed met je mantel afschermt. Het zijn bepaald geen korte tochten: je legt soms wel vijftienhonderd kilometer met je kamelen af, en dat is net zo ver als van Athene naar Berlijn via Servië, Oostenrijk en Tsjechië, of van Miami Beach naar Philadelphia; een heel eind, zonder wegen of schuilplaatsen.

Er liggen veel menselijke beenderen in de woestijn, vooral daar waar Noord-Darfur overgaat in de immense duinen van de Sahara. Om sommige beenderen zitten nog kleren en een leerachtige huid heen, terwijl andere door honderden jaren verzengende zon zijn uitgebleekt. Luchtspiegelingen zorgen ervoor dat vogels die op duinen in de verte zitten – vogels die niet groter zijn dan je vuist – wel kamelen lijken. Luchtspiegelingen zorgen ervoor dat droge vlaktes verre meren lijken. Luchtspiegelingen zorgen ervoor dat de beenderen van één enkel menselijk skelet eruitzien als de gebouwen van een stad heel in de verte. Dat lijkt onwaarschijnlijk, maar de Sahara is dan ook een onwaarschijnlijk oord. Alle sporen worden met elke windvlaag uitgewist. 's Nachts zie je de sterren, als het helder is, of je ziet waar de zon opkomt of ondergaat, ook als het helder is, maar het is niet altijd helder, en door de scheve horizon, veroorzaakt door de reusachtige duinen, kun je zelfs bij een wolkeloze hemel gedesoriënteerd raken. Van tien uur 's ochtends tot een uur of vier 's middags kun je niet zien welke kant je op moet.

Je bent modern en denkt dat je kompas en je GPS je wel op koers houden. Maar de batterijen van je GPS raken leeg of hij gaat kapot door het zand. Je kompas begeeft het of je raakt het kwijt terwijl je op een ochtend in een harde zandstorm je beddengoed probeert op te bergen. Dus je moet de methoden kennen die al duizenden jaren hebben gewerkt.

Als je slim bent, zoals mijn vader en broers, steek je 's avonds een rij stokjes in het zand en maak je gebruik van de sterren om de richting aan te geven waarin je de volgende ochtend verder wilt; die rij kun je naar believen uitbreiden. Wees voorzichtig: er zijn mensen gestorven doordat ze zich op een berg in de verte richtten, maar de wind verplaatst dit soort bergen. Je kunt in kringetjes rondlopen tot je ogen zich sluiten en je hart wegkwijnt.

Dat je zelfs de bergen niet kunt vertrouwen en dat het knerpende geluid onder de hoeven van je kameel meestal wordt veroorzaakt door beenderen van een mens, verstopt of blootliggend, zoals het de wind uitkomt, zegt alles over dit land.

3
De dode Nijl

De jaren die ik buiten Darfur doorbracht waren voor het merendeel mooie jaren. Als ik zeg dat ik dat verblijf als gevangene in Egypte eindigde, doe ik er daarmee niks aan af.

In een gevangenis in Aswan, Zuid-Egypte, was een stokoude cipier – ongeveer zo oud als mijn vader – zo vriendelijk om mij 's avonds laat door de tralies heen tegen hem te laten praten. Ik had veel aan mijn Arabisch, en hij informeerde naar mijn avonturen. Ik was heel blij met zijn gezelschap.

'Waarom ben je naar Libië gegaan? Hoe is het daar voor een jongeman als jij?' vroeg hij, terwijl hij een sigaret voor zichzelf draaide en een voor mij.

Ik vertelde dat ik een hartelijke gemeenschap van Zaghawa-vrienden en neven en nichten had gevonden die daar aan de kust werkten. Ze maakten ruimte voor mijn matras en regelden een baantje voor me in het restaurant van een militaire academie. De Arabische studenten waren ook aardig voor me en ik mocht hun boeken lenen om eruit te studeren. Ze moedigden me voortdurend aan. En ik vroeg voortdurend om meer boeken.

'Dus je was net als de antieke bibliotheek van Alexandrië die ooit op die kust heeft gestaan, waar ze alle boeken van elke reiziger te leen vroegen, zodat ze ze voor de bibliotheek konden overschrijven?' zei hij.

Ik vertelde hem dat de bibliotheek in mijn hoofd lang zo mooi niet was, maar dat ik wel al over filosofie, geschiedenis en een beetje over politiek had gelezen, en de grote romans natuurlijk, waar ik erg dol op was en die overal gelezen worden.

'Maar je had geen paspoort?'

Ik vertelde hem dat ik in het begin een visum had, maar dat ik geen toestemming had om van Libië naar Egypte te reizen, waar een paar van mijn vrienden heen waren gegaan en waar je naar verluidt veel meer kon verdienen. Aangezien zulke mensen ver weg van huis een heel eenzaam leven leiden om hun familie geld te kunnen sturen, oefent een hoger loon een enorme aantrekkingskracht uit. Dat is het enige waar het om gaat. Dus ging ik naar Egypte en werkte ik in restaurants aan de Rode Zee. Ik maakte veel vrienden in Egypte, van elk ras en elke achtergrond. Toen hoorde ik dat je in Israël nóg meer kon verdienen. Als ik aan de andere kant van de Rode Zee kon zien te komen, in de Israëlische badplaats Eilat, kon ik van honderd dollar per maand naar wel duizend gaan. Daarmee had ik genoeg om te gaan studeren en toch nog geld naar huis te sturen. Of misschien kon ik werk krijgen in Beersheba, en dan kon ik aan de Ben-Goerion Universiteit gaan studeren. Ik had aan de Rode Zee in een restaurant gewerkt waarvan de eigenaar een bedoeïen was. Vervolgens ontmoette ik een bedoeïenenman die mensen over de grens naar Israël hielp. Hij liet me zien waar ik de grens moest oversteken. Dat was voor mij geen goede plek.

Toen ik uit de Gazastrook kwam en Israël echt binnen ging, werd ik meteen gevangengenomen. Ik was doodmoe in slaap gevallen naast de gutsende irrigatiepompen van een mooie boerderij. Toen ik wakker werd, zag ik Israëlische soldaten om me heen staan, met hun geweren op mijn hoofd gericht.

Dus ik kwam wel in Beersheba, maar alleen in de gevangenis daar. Het was er eigenlijk best aardig, met televisie en gratis internationaal telefoneren. Ik kan het aanbevelen; het is stukken beter dan veel hotels waar ik gelogeerd heb.

Ik werd al snel teruggestuurd naar Egypte, waar ik zonder pardon in de gevangenis werd gezet. Misschien hebt u er enig idee van hoe erg een gevangenis kan zijn: smerig, donker en gewelddadig, maar dat is nog niks vergeleken met die gevangenis daar.

'In die gevangenissen in Caïro sterven veel mensen,' zei de oude man in Aswan, maar dat hoefde hij me er niet bij te vertellen. Ik had zelf ook al meegemaakt dat ik de hele dag op mijn knieën in de zon had moeten zitten, smekend om water, terwijl een potige bewaker me met zijn blote vuisten sloeg. Een aantal van de negentig mensen in dit kleine vertrek zat er al dertien jaar. Het was er heel warm en het stonk.

Een jongen van tien jaar werd zo hard geslagen dat hij stierf terwijl ik hem probeerde te troosten.

Toch is het niet alleen maar erg, en ik heb er veel goede mensen ontmoet uit heel Afrika, die interessante verhalen te vertellen hadden waar wij naar konden luisteren terwijl we daar hele nachten en dagen stonden, op kakkerlakken trappend en krabbend naar de luizen, maar in elk geval iets interessants leerden over andere landen en andere mensen.

Na een overmaat van dit alles wilden de Egyptenaren me terug naar Soedan sturen, waar ik, zoals de oude cipier in Aswan me vertelde, waarschijnlijk mijn ondergang tegemoet zou gaan. Vanuit Aswan zou ik op een boot op de Nijl gezet worden en in zuidelijke richting naar Khartoum worden gebracht.

'Jammer dat je niet in de gevangenis in Israël kon blijven,' zei de oude man.

Ja, dat was ik met hem eens, het was jammer dat ik weg moest.

'Als je vrienden hebt, moet je zorgen dat zij helpen voorkomen dat je naar Soedan gedeporteerd wordt,' luidde zijn advies.

Een paar jaar daarvoor had een aantal Soedanese mannen geprobeerd om vanuit Jordanië Israël binnen te komen. Nadat de Israëli's hen terug naar Jordanië hadden gestuurd, stuurden de Jordaniërs hen op hun beurt terug naar Soedan, waar ze in Khartoum ter dood werden gebracht. Met deze wreedheid wilde de Arabische regering van Soedan volgens mij laten zien dat ze zich niet voor andere Arabische landen schaamden voor hun slechte economie. Toen deze gruweldaad door Amnesty International en door Human Rights Watch bekend was gemaakt, leverden Israël en andere landen geen mensen meer uit aan Soedan of andere landen die zoiets zouden kunnen doen. Toen Israël mij naar Egypte terugstuurde, liet het Egypte een overeenkomst ondertekenen waarin het beloofde mij niet terug te sturen naar Soedan. Dat gebeurde echter toch, tenzij ik de mensenrechtenorganisaties van mijn situatie op de hoogte kon brengen.

Afgezien van dit probleem had de Egyptische gevangenis een zware wissel op mijn gezondheid getrokken, en de oude man zag wel dat ik heel zwak was. Hij leek zich als een vader om me te bekommeren. Ik zei dat ik niet bij machte was om met iemand contact op te nemen en vroeg of hij mijn Zaghawa-vrienden in Caïro misschien voor me kon bellen, die dan weer contact konden leggen met die organisaties.

'Dat is heel duur van hieruit, en ik heb geen geld, mijn zoon,' zei hij bedroefd. 'Als je geld hebt, kan ik het wel voor je doen.'

Wat er hierna gebeurde was niet het eerste wonder in mijn leven, maar wel een van de beste. Het doet er niet toe hoe vaak je je handen in je lege zakken steekt; als iemand vraagt of je geld hebt, steek je ze er toch weer in. Deze keer, nadat ik al die tijd in de gevangenis had gezeten, nadat ik mijn oude spijkerbroek al die maanden had gedragen in de allergoorste gevangeniscellen, waar ik alleen maar in de hitte kon blijven staan en mijn handen in mijn zakken kon steken, liet ik op de een of andere manier mijn duim in het kleine zakje boven de rechterzak van mijn spijkerbroek glijden, een vergeten zakje. Ik voelde de randjes van iets: een tot een vierkantje opgevouwen Egyptisch briefje van honderd pond, ter waarde van misschien twintig Amerikaanse dollars, waarvan ik me niet kon herinneren dat ik het daar gestopt had. Het zat strak opgevouwen en het was een beetje gehavend na al die tijd, maar ik vouwde het voorzichtig open. Het was in elk geval meer dan genoeg voor een duur telefoongesprek.

Ik gaf het geld aan de oude man en vroeg of hij voor me in een café wilde bellen en of hij van de rest iets te eten wilde kopen voor hemzelf en voor mij. Het was al laat op de avond, maar hij kwam terug met een heerlijk maaltje kip voor ons beiden. Hij vertelde me allerlei bijzonderheden over zijn telefoongesprek, zodat ik zeker wist dat hij gebeld had. Ons maaltje samen deed me denken aan de maaltijden die ik met mijn vader gebruikt had. Ik was al heel lang bij mijn familie weg, en misschien dat ik daaraan moest denken in deze duistere tijd, geblinddoekt. Dat ik van hen gescheiden leefde was heel schadelijk voor me. Het grootste deel van het geld was nog over, en dat gaf ik aan de oude man omdat hij zo aardig voor me was geweest en omdat ik niet dacht dat er ook maar één procent kans was dat er op tijd iets voor me gedaan kon worden.

Mijn vrienden in Caïro namen meteen contact op met de stamhoofden van de Zaghawa, van wie er één zelfs helemaal in Scandinavië woonde. Zij namen op hun beurt contact op met Human Rights Watch en met de Verenigde Naties. Op de een of andere manier – vraag me niet hoe – heeft dat allemaal succes gehad. Op de dag dat ik al geketend en wel naar een boot op de Nijl was gestuurd, en vlak voordat de boot aan zijn reis naar Khartoum begon, werd ik eraf gehaald en terug naar Caïro gestuurd. Ik zou nog een paar maanden in die verschrikkelijke gevangenis daar blijven. Maar toen, o wonder, mocht ik mijn vleugels uitslaan.

Je weet nooit goed uit welke hoek de genade komt. Misschien heeft dat geld er al die tijd gezeten, in afwachting van de nieuwsgierigheid waarmee goed nadenken gepaard gaat. Ik heb een tijdje gedacht dat de oude cipier het er misschien in gestopt had terwijl ik sliep. Maar het zat zo strak opgevouwen en het was zo vergeeld dat het volgens mij al die tijd al in dat zakje op me heeft zitten wachten, zoals veel dingen wachten tot wij eraan toe zijn ze te ontvangen.

4
Een slecht moment om naar huis te gaan

Het was de zomer van 2003. Een vliegtuig van de Ethiopische luchtvaartmaatschappij droeg mij aan het eind van de middag over de Rode Zee heen. Mijn neven in Engeland hadden mijn ticket terug naar huis betaald. Het vliegtuig vloog over de Nijl en zweefde toen in zuidelijke richting boven de rivier met aan de westkant uitzicht op de Sahara. Het was bijna alsof ik in de Egyptische gevangenis dood was gegaan en nu op de wind terug naar huis ging. Het leek net een vliegend tapijt. Voor het eerst in mijn leven zag ik de onmetelijkheid van de Sahara: een eindeloze zee van zand onder mij met hier en daar een stipje groen, met de kringelende en verweerde ruggengraat van dode bergen, met de kalkdraden van kamelensporen en droge rivierbeddingen die in een tere stroom om de duinen heen liepen.

Terwijl we verder stegen verdwenen de sporen, en de duinen veranderden in het grove weefsel van canvas, dat zich uitstrekte tot aan de verre horizon. Deze woestijn van zand is ongeveer net zo groot als het hele gebied van de Verenigde Staten. Van bovenaf begrijp je wel waarom de mensen enorme piramiden moesten bouwen om hier enigszins op te vallen.

Ongelooflijk dat ik leef en zulke dingen zie, dacht ik terwijl ik mijn hoofd naast het raampje liet rusten en een slokje thee nam. Ik keek naar buiten en zag een rode zonsondergang over het land stromen. Ongelooflijk dat ik leef. Humdallah, humdallah, ongelooflijk. God zegene mijn neven in Londen. God zegene mijn vrienden in Caïro en de mensenrechtenorganisaties. God zegene de oude cipier in Aswan. God zegene het briefje van honderd pond in mijn spijkerbroek. God, zegen alstublieft zelfs degene die die kleine zakjes in spijkerbroeken heeft bedacht, waar zo'n briefje jarenlang onopgemerkt in kan zitten en op een dag weer gevonden wordt. God zegene Ahmed en al mijn broers en zussen, en mijn vader en moeder.

Ik was jaren weg geweest, maar nu zou ik hen allemaal weer snel zien, hoewel ze zich nu, hadden mijn neven me laten weten, midden in een oorlog bevonden. Mijn broer Ahmed zou dolgelukkig zijn om mij weer te zien en zou alles willen horen over mijn avonturen. God zegene Ahmed. Ik zag hem al voor me, verrukt over elke wending in mijn verhaal.

In de verte – ik kon het net niet zien – lag Khartoum, in het westen, waarvan waarschijnlijk net de lichten knipperend aangingen, en de blauwe schemering waarschijnlijk net viel op het strand van de rivier de Nijl, waar hij ontspruit uit het ontmoetingspunt van de Witte en de Blauwe Nijl. De Blauwe komt uit Ethiopië en raakt een groot deel van zijn water kwijt in de uitgestrekte moerassen van Zuid-Soedan. In vroegere tijden was er nog een grote rivier in Soedan, die door Darfur in westelijke richting naar het Tsjaadmeer stroomde. Het grote dal waar die ooit doorheen stroomde heet Wadi Howar, door de mensen ook wel de Dode Nijl genoemd. Het water van die rivier stroomt nu onder het zand, behalve in de regentijd in de zomer.

Na een tussenstop in Addis Abeba vloog ik in een zuidelijke lus door Kenia, Oeganda en de Centraal-Afrikaanse Republiek, en daarna terug omhoog door Zuid-Darfur in Soedan. Meestal was het donker onder me, aangezien het grootste deel van dit land nauwelijks of geen elektriciteit heeft en men vroeg naar bed gaat. De sterren en een nieuwe maan waren het enige wat ik het grootste deel van de tijd kon zien, tot er plotseling beneden wat knipperende lichtjes waren.

'Waar zijn we?' vroeg ik aan de jonge stewardess die ik een beetje had leren kennen; ze was ongeveer van mijn leeftijd, een jaar of dertig. Ze boog zich om uit mijn raampje te kunnen kijken en liet haar hand daarbij sierlijk op mijn schouder rusten om in evenwicht te blijven.

'Nergens, volgens mij!' zei ze glimlachend, terwijl ze geduldig het donker in keek.

Nadat ik had gevraagd hoe lang het nog duurde voor we zouden landen, rekende ik uit dat we misschien wel over Zuid-Soedan vlogen en heel waarschijnlijk over Zuid-Darfur. De lichtjes beneden zouden lichtjes van de oorlog kunnen zijn, de laatste vlammen van hutten en dorpen die die dag waren aangevallen, van grote, eeuwenoude dorpsbomen die in een soort vreugdevuren waren veranderd. Darfur stond in brand.

Ik wreef over de Zaghawa-littekens op mijn slaap en keek omlaag naar dit duistere tafereel. Ergens daar beneden – maar dan verder naar het noorden – waren mijn vrienden, mijn vader en mijn moeder, mijn zusjes en broers, talloze neven en nichten, tantes, ooms, onze kamelen, ezels, onze zangvogels, onze duizend jaar oude verhalen. Stelt u zich dit zelf maar eens voor, vriend: dat u naar huis vliegt en uw thuisland onder u in brandende stippen ziet. Het krijgersbloed dat u van uw voorouders hebt gekregen, komt dan in u tot leven.

Maar toch lag het niet zo eenvoudig, misschien doordat ik al iets van de wereld had gezien. Ik keek er inderdaad vanaf grote hoogte naar. Ik rekende de leden van vele stammen en vele rassen tot mijn vrienden, en dat maakt het verschil in ons hart. Ik rekende ook Jane Eyre, Long John Silver en Oliver Twist tot de mensen die ik kende.

Hoogte is op zichzelf een machtig gegeven. Als mensen door de ruimte reizen en vanaf een afstand naar onze kleine planeet kijken, vanwaar je geen grenzen en vlaggen kunt zien of je die kunt voorstellen, schijnt dit hen ook, is mij verteld, tot een vreedzaam standpunt te brengen. En dat wilde ik eigenlijk: gewoon vrede. Ik was verdrietig en bezorgd om mijn volk, maar niet boos. Ik wilde niemand doden. Ik haatte niet eens de man die al deze misdaden organiseerde, de president van Soedan, maar wilde niets liever dan eens een lange wandeling met hem maken door de dorpen van mijn jeugd en hem zo misschien op andere gedachten brengen over hoe hij het volk het best kon dienen, want dat is toch zijn taak.

Vlak voor de zon opkwam zweefden we over de woestijnen van Tsjaad en daalden uiteindelijk neer naar de oase van Ndjamena. Daar had ik vrienden en neven en nichten bij wie ik kon slapen. Met een paar dollars van mijn neven en nichten kon ik Tsjaad oversteken en op een afgelegen plek, onopgemerkt door de Soedanese regering, Darfur binnenglippen.

De trap werd iets na vijf uur 's ochtends in Ndjamena naar het vliegtuig toe gereden. Ik ging als laatste naar buiten en bleef even boven aan de trap staan. De vochtige geur van de rivier en de grote sterrenhemel van mijn vrijheid begroetten me: humdallah, humdallah, het Afrika van mijn vrienden en familie!

Vanuit dit kleine portaal zag ik, zelfs op dit vroege uur al, militaire voertuigen en vliegtuigen van Tsjaad over de basis naast de kleine luchthaven rondrijden. De stad was ook al ontwaakt en aan een gewone dag begonnen, met als extraatje de opwinding van de oorlog.

Daar reageert het lichaam op. De geuren en geluiden, de bewegingen van soldaten en voertuigen, worden allemaal snel geregistreerd met het scherpere waarnemingsvermogen dat in tijden van gevaar ontwaakt.

Er waren een paar neven op de luchthaven en even later zat ik aan een heerlijk ontbijt: kebabvlees in een rijke, heel hete saus. Overal om me heen hoorde ik nieuws over de oorlog in het naburige Soedan: nieuws van neven en nichten her en der in Noord-Darfur; nieuws dat ik van mobiele telefoons en langslopende reizigers opving; nieuws over dorpen die hier aangevallen waren, over sterfgevallen in de familie daar, over neven die de wapens hadden opgenomen om hun dorp te verdedigen, over zusjes die vermist werden en moeders die waren gedood of verkracht. Er heerste groot verdriet, maar ook overal grote opwinding: onze grote bijenkorf had een zware klap gekregen.

Na een paar dagen bijkomen vertelde ik mijn oudste neef dat het tijd werd dat ik naar Darfur ging. Hij schudde me de hand en pakte me bij mijn schouder alsof hij me nooit meer zou zien. Hij gaf me het geld dat ik nodig had voor de ritjes in de Land Cruisers die de dorpen van Afrika met elkaar verbinden. De vrouwen van de familie pakten wat eten voor me in dat ik kon meenemen. Ik ging naar een markt en vond een ritje in een op het oog goede Land Cruiser met een goede chauffeur.

Hutjemutje op elkaar gepakt met andere reizigers reed ik al snel over de wadi's die blank stonden van het regenwater.

De Darfur-gebieden van Soedan liggen aan de oostgrens van Tsjaad, op ongeveer negenhonderd kilometer en twee dagen reizen van Ndjamena, over slechte wegen. We stopten in dorpen op het marktplein, waar sommige passagiers uit- en andere instapten. De nieuwe passagiers droegen de ceremoniële littekens van de Zaghawa, mijn eigen stam. Van deze mensen hoorde ik wat me te wachten stond: de brandende dorpen, de stroom mensen die vanuit Darfur de grens met Tsjaad overstaken. Ik kreeg buikpijn van angst om mijn familie.

Onder de Zaghawa ken iedereen elkaars familie. Als je in een kleine stad woont, weet je heel veel over de families die daar wonen. Als er in jouw stad geen televisie was of andere dingen die je ervan weerhielden om voortdurend bij elkaar op bezoek te gaan, zou je zelfs in een heel grote stad over iedereen nog iets weten. Zo werkt het nu eenmaal. En als mensen tijdens een lange tocht dicht opeengepakt reizen, zoals nu, kom je over veel mensen veel te weten. Iedereen wordt uiteindelijk bekend.

Op een gegeven moment kwamen we aan bij de vormeloos uitgegroeide stad Abéché, met lemen huizen met zinken daken, de laatste grote gemeenschap in Tsjaad voor de Soedanese grens. Daar wonen in vredestijd zestig- à zeventigduizend mensen, maar nu wemelde het er van de vluchtelingen en Tsjaadse soldaten die daarnaartoe kwamen om de lange grens te controleren en problemen te voorkomen. De soldaten lieten de vluchtelingen vanuit Darfur binnen, aangezien er menselijkerwijs gesproken niks anders op zat, en omdat wij een traditie van gastvrijheid kennen die maakt dat je nooit bezoekers weigert.

In Abéché regelde ik een rit voor de laatste, maar heel zware vijftien kilometer naar de grens van Soedan, naar de stad Tine. Tot nog toe had ik bijna niet kunnen slapen. In Tine zou ik kunnen uitrusten.

Toen we de stad naderden, roken we het al voordat we ook maar een hut hadden gezien. Het was de geur van vers gezette thee en eten op het vuur. Tine is Zaghawa, dus de kookgeuren waren heerlijk na zo'n lange tijd van afwezigheid.

Ik ging naar het huis van de sultan, een omheind terrein met een paar grote hutten erop. Alle bezoekers werden altijd welkom geheten, kregen een matras om binnen de omheining op te slapen en lekker te eten, want de sultan hoort goed voor de mensen te zorgen.

Door de oorlog kwamen er duizenden mensen naar de sultan, die zijn *omda's*, die de verantwoordelijkheid voor verschillende gebieden van zijn koninkrijk hebben, en zijn *sjeiks*, die ieder de verantwoordelijkheid voor één dorp hebben, vroeg om opvang voor de vluchtelingen te regelen. In Noord-Darfur zijn er bijvoorbeeld vijf van zulke sultans. In West-Darfur zijn er nog een paar, in Zuid-Darfur een paar, en dan ook nog een paar, zoals deze, in Tsjaad. Ze vormen gezamenlijk het oude land Darfur; Darfur is nog steeds precies zo georganiseerd als in de zestiende eeuw. De sultanaten zijn erfelijk, maar de omda's en de sjeiks worden door de sultan aangewezen, omdat ze het respect hebben verdiend van de mensen om hen heen. Dat is een heel ander soort democratie, waarbij de mensen niet met een stembriefje voor hun plaatselijke leider kiezen, maar veeleer met hun respectvolle houding voor hen die zich onderscheiden door hun dienstbaarheid aan de samenleving. De sultan houdt in zijn hoofd de stand bij. Nationale verkiezingen verlopen natuurlijk gewoon volgens de regels, hoewel die door Bashir nu zo gecorrumpeerd zijn dat de wil en de wijsheid van het volk er op geen enkele manier in tot uitdrukking komen.

Toen we elkaar voor het eerst ontmoetten, schudde de sultan me de hand en pakte me bij mijn schouder.

'Hoe gaat het met uw vader en moeder, en met uw broer Ahmed?' vroeg hij. Toen hij dat met zoveel respect zei, wist ik dat Ahmed op een dag de sjeik van ons dorp zou worden.

Hij vertelde me dat er ook een paar neven van mij Darfur ontvlucht waren en nu in Tine woonden, en hij vertelde me precies waar ik hen kon vinden. Hij zei dat ik net zolang mocht blijven als ik wilde, en ging toen terug naar de talloze dringende gevallen die zijn aandacht vroegen.

Sommige mensen die net aangekomen waren, waren ernstig gewond door bommen en kogels bij de aanval op hun dorp aan de andere kant van de grens. Veel kinderen hadden een lange reis achter de rug en waren mager en ziek. Enkele vrouwen en meisjes waren verkracht en daardoor ernstig gewond geraakt. Familieleden zochten het ene dorp na het andere af om elkaar te vinden, en de sultan, de omda's en sjeiks hielpen deze mensen zoeken en zorgden voor iedereen.

Te midden van deze mensenstroom en ellende ging ik op de grond liggen om uit te rusten. Omdat het had geregend was er plastic zeildoek onder de matrassen van de gasten gelegd. Ondanks het voortdurende komen en gaan van mensen en het gehuil van kinderen viel ik in een diepe slaap.

De volgende ochtend, nadat ik met een heleboel andere mensen samen groene thee had gedronken, ging ik op zoek naar een Land Cruiser die me in noordelijke richting naar Bahai kon brengen, dat zestig kilometer verderop langs de grens ligt en dat een goede plek is om onopgemerkt Darfur binnen te gaan.

Op de markt van Tine stonden mannen hun wapens schoon te maken – voornamelijk oude geweren en kalasjnikovs – en te overleggen waar ze het hardst nodig zouden zijn. Ze kochten en verkochten munitie en onderdelen. Andere mannen, zonder wapens, regelden ook hun terugkeer naar Darfur om daar familieleden en vrienden te zoeken. Zo zag mijn situatie er ook uit, en ik kon dan ook al snel op pad.

Onderweg konden we rechts van ons heel ver over het grote dal heen kijken dat Tsjaad van Soedan scheidde en in de verte de witte bommenwerpers en helikopters zien. Deze vliegtuigen waren dorpen aan het bombarderen. We zagen zuilen van rook aan de horizon. Niet ver bij ons vandaan zagen we Janjaweed-milities door de wadi trekken.

Eindelijk kwam Bahai, mijn laatste stopplaats in Tsjaad, in zicht. Het is een klein stadje van her en der verspreid staande hutten en winkels van lemen blokken op het laagland in de buurt van een plek waar je de rivier kunt oversteken. Omdat het een ander Zaghawa-koninkrijk is dan Tine, heeft dat gebied ook een andere sultan. Ik ging hem mijn eer betuigen. Net als de sultan in Tine was deze ook omringd door heel veel mensen die van de andere kant van de rivier waren toegestroomd. En net als in Tine wemelde het in het stadje van de families die op zoek waren naar vermiste verwanten, van gewonde mannen, vrouwen en kinderen die hulp zochten. Overal liepen mensen met een lege blik in de ogen, kapot van verdriet over het plotselinge verlies van hun thuis en hun familie. Overal liepen groepen gewapende verdedigers dingen te organiseren.

Ik betaalde een chauffeur en hees mezelf omhoog in de laadbak van de eerste de beste truck die tot ver Darfur in zou rijden.

We staken de rivier over tegen een stroom van vluchtende mensen in. Overal langs de modderige wegen en de vlakten waar elk voertuig zijn eigen weg maakt, passeerden we vluchtelingen die naar Tsjaad toe liepen. In het voorbijgaan moedigden we hen aan en zeiden we dat het nog maar anderhalve kilometer was voor ze in veiligheid waren, daarna nog maar drie kilometer, daarna nog maar een halve dag, en al snel zeiden we alleen nog maar dat ze de goede kant op gingen. We gaven veel van ons water aan moeders en kinderen.

Zo af en toe konden we de witte Antonov-bommenwerpers zien en vaak zagen we achter de heuvels rook opstijgen. Verdedigers van dorpen en andere verzetsstrijders hielden ons wel eens tegen op de weg. Onze trucks waren wit, zoals zoveel Land Cruisers van burgers of andere trucks die voor een militair voertuig kunnen worden aangezien. De verzetsstrijders hielpen ons er niettemin aan herinneren dat de helikopters en bommenwerpers zich daar niks van aan zouden trekken. Dus waren we de hele reis waakzaam en zochten we met onze ogen de lucht, de heuvels in de verte en de wadi's af. We leunden uit het raampje en keken naar de bandensporen naast de weg om te weten wie er welke kant op was gegaan. Verse sporen van grote banden betekenden trucks van de overheid en de dood. Verse paardensporen in grote aantallen betekenden Janjaweed en de dood. Deze niet-aflatende oplettendheid was een goede manier om de tijd door te komen, want onze situatie lag toch echt in Gods handen, en niet in de onze.

Als ik in de roes en onder het gehots van de lange reis de hele situatie eens overzag, leek het wel een boze droom. Dit deel van de wereld, onze wereld, veranderde heel snel, met de dag, en viel steeds dieper weg in de brandhaarden van de wreedheid. Ik wilde eruit wakker worden. Stelt u zich eens voor hoe het zou zijn als alle systemen en regels die uw land bijeengehouden hebben plotseling zouden instorten en uw familieleden allemaal, echt stuk voor stuk, in een gevaarlijke situatie zouden verkeren. Zo was het namelijk. Op zo'n moment kun je niet aan jezelf denken; je zit te piekeren over waar je vrienden en familie zouden kunnen zijn, waar ze naartoe zouden kunnen gaan. Daar blijf je maar over malen, terwijl je bedenkt wat je zou kunnen doen om hen te helpen.

5
Het dorp van mijn zus

Nog voordat ik uit Egypte was vertrokken, had ik besloten dat ik eerst naar het dorp van mijn oudste zus zou gaan, zodat ik met nieuws over haar bij mijn vader en moeder in ons eigen dorp kon aankomen.

Na een paar ruige bergen reden we langs een droge rivier verder op haar dorp aan. Putten en kleine waterpoelen – de waterreservoirs van het dorp – waren gehavend door bomkraters. De normale toestroom van dorpskinderen wanneer er een voertuig naderde bleef uit. De groepjes hutten aan de dorpsrand waren uitgebrand, hoewel van sommige nog lemen kamers en omheiningen overeind stonden.

Ik was heel vaak in dit dorp geweest, onder andere voor diverse bruiloften, die een belangrijk deel van ons leven uitmaken. Een bruiloft duurt vier avonden, waarop prachtig gedanst en gezongen wordt. Ik zag een veld met grote bomen en dacht aan alle keren dat we daaronder gedanst hadden. De vrouwen gaan dan in een lange rij staan en zingen traditionele liederen over het dorpsleven. Daarna dansen ze in een lange rij, echt prachtig in hun kleurige gewaden die in het licht van het vuur om hen heen warrelen. De mannen kijken toe en springen op ceremoniële wijze op en neer. In vroeger tijden zouden ze een speer dragen, want die was het symbool van de man. Bij de laatste bruiloft die ik heb bijgewoond, hadden sommige mannen een geweer bij zich en daarmee schoten ze in de lucht om hun waardering te laten blijken voor de prachtige dans en zang van de vrouwen.

Dat leek nu wel een eeuwigheid geleden, en voor altijd verleden tijd. Toen we aankwamen, zagen we dat veel hutten nog overeind stonden. Ook de hut van mijn zus.

Mijn zus Halima schrok zich een ongeluk toen ze zag wat voor man haar kleine broertje was geworden, maar toen ze de schrik te boven was, maakte ze een grapje en zei dat ik altijd alles achterstevoren deed, en dat een Hari niet midden in een oorlog thuis moet neerstrijken. Het grapje was dat ze onze familienaam Hari gebruikte, dat 'adelaar' betekent. Vogels staan erom bekend dat ze een dorp vóór een gevecht verlaten, en niet dat ze tijdens een gevecht aankomen.

Haar man was weg, met een groep andere mannen. Misschien dat ze de dieren in veiligheid brachten of voorbereidingen troffen om het dorp te verdedigen. Aan vrouwen wordt vaak niets over de ellende van de oorlog verteld, hoewel ze die natuurlijk wel te verduren krijgen.

Maar of ze er nu over te horen krijgen of niet, de vrouwen weten toch wel alles. De kinderen zien alles en terwijl de vrouwen aan het werk zijn vragen ze de kinderen wat ze gezien hebben. Ik vroeg Halima niet waar mijn zwager was. Hij was ergens en deed iets wat nodig was, net zoals de vrouwen druk bezig waren om voedselvoorraden in de wadi's ten westen van het dorp te verbergen, voor het geval ze in allerijl op de vlucht zouden moeten slaan.

Halima vertelde me over de eerdere bombardementen op het dorp, waarbij zeven mensen om het leven waren gekomen. Ik kende deze families, hoewel sommige slachtoffers ter wereld waren gekomen in de jaren dat ik weg was. Ik had dus niks van hun leven meegemaakt, en dat vond ik erg verdrietig.

’s Avonds, toen de kinderen van het dorp eindelijk klaar waren met hun werk met de dieren en in de tuinen, sprak ik met hen onder een boom in de motregen.

‘Vertel me eens wat er is gebeurd,’ vroeg ik aan de oudste jongen, die een jaar of veertien was en die ongetwijfeld over een paar dagen of weken bij de verzetsgroepen zou gaan. Hij droeg een gescheurde spijkerbroek en een gehavend sweatshirt van UCLA dat waarschijnlijk via de markten uit Algerije naar El Fasher was gekomen, nadat het eerst, jaren geleden, in de Verenigde Staten was weggegeven.

‘Alle vogels stegen op en vlogen weg. Dat is het eerste wat we zagen,’ zei hij.

Toen deed hij het geluid van de Antonov-bommenwerper na, terwijl die hoog boven het dorp overvloog.

‘We konden hem niet zien,’ zei hij. De anderen knikten.

‘Maar onze moeders wisten meteen toen ze de vogels zagen wegvliegen dat het de Antonov was, en ze riepen tegen ons dat we ons in de wadi moesten verstoppen en dat we snel een paar dieren moesten meenemen. Dus pakten we zo snel we konden de ezels, een paar kippen en geiten. Terwijl we wegrenden hoorden we mensen in het dorp schreeuwen dat ze deze of gene uit een hut moesten halen en moesten helpen weg te komen. Op dat moment hoorden we de Antonov niet. We dachten dat hij weg was en dat we veilig waren en dat onze moeders gek waren. Onze vaders waren weg met de dieren.

Toen hoorden we de Antonov terugkomen,’ ging de jongen onder de boom verder. ‘Hij vloog lager en we zagen hem over de wadi aankomen. Hij liet een grote bom op de waterputten langs de wadi vallen om ze te vernietigen en misschien om ze te vergiftigen, hiermee...’

De jongen schoof zijn mouw omhoog en liet me de rode blaren op zijn arm zien. De andere jongens volgden zijn voorbeeld en lieten hun rug, nek, benen en buik zien, die door een of andere chemische stof verbrand waren.

'Door de bommen vlogen er vuurballen en scherpe stukken metaal alle kanten op, zelfs tot de plek waar wij verstopt zaten, en een hele tijd regende het metaal op ons neer: *ting, ting, ting, ting.* Toen we terugrenden om onze moeders en opa's en oma's te zoeken stonden sommige bomen en hutten in brand.'

Het viel me op dat de jongens heel hard praatten, en toen realiseerde ik me dat ze niet goed konden horen. Op dat moment herinnerde ik me weer dat ook mijn gehoor heel lang beschadigd was geweest door de RPG's toen ik als kleine jongen een aanval had meegemaakt.

Zeven mensen waren omgekomen, maar de tol had nog veel erger kunnen zijn als de vrouwen niet zo waakzaam waren geweest. Als bewapende helikopters achter de kinderen en vrouwen aan waren gegaan, wat regelmatig gebeurde, had het veel erger kunnen zijn. Als er na de aanval gewapende ruiters van de Janjaweed en regeringstroepen waren gekomen, die elk meisje en elke vrouw hadden verkracht en daarna iedereen die ze konden vinden hadden doodgeschoten, was het ook veel erger geweest. Dat was het dorp nog niet overkomen, maar ze wisten wel dat ze het nog konden verwachten.

Veel dode dieren moesten nog begraven of afgevoerd worden. Daar hielp ik zo veel mogelijk bij.

De geur van de chemische stof hing nog als een zware deken over het dorp. Iedereen, en vooral de kinderen, had last van diarree en moest dagenlang overgeven. Veel mensen hadden ademhalingsmoeilijkheden, vooral de allerjongsten en de alleroudsten. De vogels die uit de waterputten dronken legden het loodje. Vijftig of meer kamelen en andere dieren die het water te vroeg hadden vertrouwd, lagen dood bij de putten.

Om de reusachtige bommen die de Soedanese regering had laten gooien, hadden afgedankt gereedschap en ander schroot gezeten, wat betekende dat er bij elke explosie talloze vliegende dolken rondvlogen. Ik had hier wel over gehoord, maar geloofde het niet, totdat ik de stukken schroot in de boomstammen zag steken. De meeste mensen die door de bommen om het leven waren gekomen, waren door een aantal van die stukken getroffen.

De vrouwen, die normaal gesproken kleurrijke kleding droegen of het witte gewaad van de rouw, waren nu allemaal in het donkerbruin gekleed, om te zorgen dat ze in de woestijn minder opvielen. Ze hadden zand in hun haar gestrooid, wat gebruikelijk is bij rouw om de doden, en ze begonnen zo op de aarde zelf te lijken. De kinderen hadden de donkerste kleren aan die hun moeders voor hen hadden kunnen vinden. Alle felle kleuren van het dorp waren weg, op een verdrietig spikkeltje van een dode zangvogel na.

Na de tweede dag zei ik tegen Halima dat het hoog tijd werd dat ik onze ouders ging zoeken, en de andere familieleden in ons dorp. We namen roerend afscheid, want we wisten wat voor ellende ons te wachten stond.

6
Het eind van de wereld

Op een paar uur lopen van ons dorp ligt een klein stadje. Net als de meeste stadjes in een gebied vol dorpen heeft het een marktplein en een jongens- en een meisjesschool, allemaal lemen gebouwen.

Toen we het stadje in de Land Cruiser naderden, kwamen we van de vlakke woestijn in een wadi tussen lage bergen. We reden langs het zand van de droge rivierbedding. Normaal gesproken zouden ons groene bomen, het geluid van vogels en kookgeuren te wachten moeten staan. Jongens en meisjes zouden bij de waterputten in het zanderige dal de dieren verzorgen. Maar dat was nu allemaal anders. Veel bomen waren verbrand en de waterputten waren zwartgeblakerd en gehavend door bominslagen. Er waren maar heel weinig vogels.

De kinderen van het dorp keken ons ernstig na, in plaats van met ons mee te rennen. Hun dieren waren in geen velden of wegen te bekennen. Sommige afgebrande hutten rookten nog na.

Op het terrein van elke familie bevindt zich een keukenhut, waar meestal drie of vier vaten van rode klei staan, *nunus* geheten, die vol gierst zitten. Ze zijn soms zo groot dat je ze bij lange na niet kunt omvatten, en ze kunnen vrij gedrongen zijn of juist zo lang als een man. In deze silo's is gierst tien tot vijftien jaar houdbaar, en ze vormen een verzekering voor barre tijden. De rook uit de afgebrande hutten legde een geur van verbrand eten over het dorp heen, en ook nog de geur van verbrand haar, als gevolg van de smeulende dekens en matrassen. Verder hing er de geur van de doden, aangezien nog niet elk dier begraven was.

Ik ging eerst naar de hutten van de sjeik: ik kende hem goed en de beste informatie zou ik dus bij hem kunnen krijgen. Zijn hutten waren gedeeltelijk afgebrand; ongetwijfeld was iedereen toegesneld om de brand daar te helpen blussen, aangezien het huis van de sjeik van iedereen is. Het was er nu een komen en gaan van mensen. Er werden begrafenissen geregeld en sommige gewonden werden er verzorgd. Ik kreeg te horen wie er in de ene familie stervende was en wie in de andere, zodat ik bij hen langs kon gaan voordat ze overleden waren. In dit soort dorpen heb je geen dokters of medicijnen, dus als je ernstig gewond bent, ga je dood. Je draagt je pijn zo moedig mogelijk en je bidt dat de dood snel mag komen. Je naasten komen naar je toe en blijven bij je. Ik kende iedereen in dit dorp, behalve de kinderen, dus ik bracht een bezoek aan de zeventien ernstig gewonde mensen die stervende waren. Sommigen waren bij de explosies een arm of been kwijtgeraakt of hadden gapende wonden die alleen maar met wat steekjes wol of dierenhaar losjes bijeengehouden werden. Het enige medicijn of de enige pijnstiller bestond uit een kopje thee.

Met deze mensen was ik opgegroeid en had ik in het maanlicht spelletjes gespeeld; spelletjes speelden we altijd 's avonds, want overdag hadden we het druk met allerlei klusjes, en overdag was het ook veel te warm.

Ik ging langs bij een jonge vrouw voor wie ik toen we samen speelden altijd veel bewondering had gehad. Ze was altijd heel sterk en vrolijk geweest. Het hoorde niet dat ik haar hand vasthield, hoewel ik dat nu graag wilde. Neemt u iemand in gedachten wie dit in uw geboorteplaats zou kunnen overkomen, dan weet u hoe ik me voelde.

Twee dagen voor mijn komst waren de zeven waterputten van het dorp door zware bommen geraakt, en daardoor waren een paar hutten in brand gevlogen. Het was niet de eerste aanval geweest. Inmiddels werden de kinderen elke dag uit het dorp weggestuurd. De dieren werden 's avonds laat naar de paar nog bruikbare waterputten gebracht om te drinken. Overdag kon alles wat in het dorp bewoog aanleiding zijn voor bommen of helikopteraanvallen. Maar er was nog geen grondaanval geweest.

Iedere neef die ik ontmoette vertelde me dat er in zijn deel van de familie tien of meer doden waren gevallen. Alle dorpen in het oosten lagen onder vuur en de mannen in dit dorp bereidden zich voor op wat er nog te gebeuren stond. De vrouwen verzorgden de gewonden en maakten eten en voorraden klaar om in de wadi's te verbergen en om de ezels mee te beladen.

Sommige mannen moesten ter plekke wachten en de dorpen verdedigen, maar andere sloten zich aan bij verzetsgroepen die in auto's rondzwierven, zodat ze daarheen konden gaan waar men ze nodig had. De regering viel zoveel dorpen tegelijk aan dat deze mannen er mager en uitgeput uitzagen. De vijf koninkrijken van Noord-Darfur – Dar Kobe, Dar Gala, Dar Artaj, Dar Sueni en ons eigen Dar Tuar – werden allemaal tegelijkertijd aangevallen. Koninkrijken in West- en Zuid-Darfur werden ook aangevallen. De verzetsstrijders – van wie sommigen hooguit veertien jaar waren – kwamen in opgekalefaterde Land Rovers het dorp binnen om water en voedsel te halen en scheurden dan weer weg naar het volgende spoedgeval, waarbij ze hun gewonden bij de vrouwen van het dorp achterlieten. Het systeem van sultans, omda's en sjeiks dat het koninkrijk kende, was tot voor kort een uitermate efficiënte vorm van militaire organisatie geweest, maar nu vaardigde niemand meer bevelen uit. Elke dag bracht feiten met zich mee die alle plannen deden vervagen.

De sjeik vertelde me dat mijn eigen dorp, dat kleiner was, één keer was gebombardeerd, maar niet veel schade had opgelopen en dat mijn directe familie ongedeerd was. Met die wetenschap bleef ik nog een paar dagen in het grotere dorp om te helpen waar ik kon. Er trok een grote stroom vluchtelingen doorheen en de mensen hadden alle mogelijke hulp nodig.

Veel mannen sloten zich aan bij verzetsgroepen; je zag piepjonge jongens, tieners nog, met een wapen van de familie in de laadbak van trucks springen, en dat was dat. Niemand van hun familie probeerde hen tegen te houden. Het was net alsof iedereen zich erbij had neergelegd dat we allemaal zouden sterven, en iedereen moest zelf maar bepalen hoe hij dood wilde gaan. Zo was het. Het einde der tijden was voor ons nabij.

'We gaan nu weg en proberen in Tsjaad te komen,' luidde de mededeling van veel families wanneer ze over het terrein van de sjeik liepen om afscheid te nemen. Ze kregen advies over hoe ze het best door de bergen en de enorme woestijnen konden komen. Tsjaad was heel ver weg. Zelfs als ze niet door soldaten, Janjaweed of helikopters werden aangevallen, zouden velen de reis van honderdvijftig kilometer door de verzengende woestijn niet overleven. Over een paar dagen was de regentijd voorbij, en daarna zou de woestijn heel snel opdrogen. Maar er zat niet veel anders op. Sommige mensen zeiden dat ze zich in de wadi's zouden verstoppen en zouden wachten tot het vrede was. En er zijn grotten in de bergen, dat wist ik wel. Maar de meeste mensen wilden zich per se in Tsjaad in veiligheid brengen, waar Zaghawa-familieleden zich over hen zouden ontfermen totdat ze terug konden. Tijdens al deze volwassen gesprekken staarden de bezorgde ogen van zwijgende kinderen voor zich uit. En in elk volwassen oog lag de bedruktheid van een dodelijk besef: wat we ook doen, onze wereld gaat ten onder en we bevelen ons aan in Gods harde of zachte handen.

'Het zal niet lang meer duren voordat jouw dorp ook aangevallen wordt,' zei de sjeik tegen me toen we na de thee samen zijn mensen stonden na te kijken. Hij hield goed bij waar de vluchtelingen vandaan kwamen; hij wist hoe de aanvalslijnen zich verspreidden. Dus nam ik afscheid van hem en bedankte hem voor alle gunsten die hij mijn familie en mij zijn hele leven had verleend. Hij zei dat hij het altijd als een eer had beschouwd om ons te mogen dienen; hij zei dat ik mijn vader en moeder, Ahmed en mijn zus de groeten moest doen, voor wie hij een diep respect voelde.

Ik stapte in een Land Cruiser vol wapens en mannen die de kant van mijn dorpje op gingen. We hotsten snel door de wadi's, en zeiden niet veel. Daar lag mijn dorp, prachtig door groen omgeven. Ik stapte vlak bij de hutten van mijn familie uit en nam voor de laatste keer afscheid van de mannen in het voertuig.

'Tot snel, Daoud,' zei een oude schoolvriend met een ernstige glimlach, waarmee hij bedoelde: niet in dit leven.

7
Thuiskomst

Het was niet de thuiskomst waar ik na al die jaren van afwezigheid naar had verlangd. Ik keerde niet overladen met cadeaus en geld voor iedereen terug.

'Daoud is terug,' hoorde ik sommige mannen zeggen toen ik langs de groepjes liep die hier en daar bij elkaar stonden. Ik knikte hen toe, maar het leek niet het juiste moment voor glimlachen en blije begroetingen.

Ik liep het erf van mijn familie op, waar een ezel, een paar geiten en wat kippen toekeken. Mijn vader was met een paar andere mannen aan de andere kant van het dorp, net als mijn broers. Ik zag mijn moeder onder het zonnedak dat aan de kookhut bevestigd was; mijn zusje Aysha was bij haar, en ook een paar andere vrouwen van het dorp; ze waren allemaal in de rouw. Mijn moeder zag er nu heel oud uit. Haar haar zat geklit door de aarde van de rouw. Ze had donkere kleren aan en een donkere sjaal om haar oude hoofd. Ze zag me en huilde in haar handen, alsof het nog erger was dat ik juist op dit moment thuiskwam.

'*Fatah*,' wist ze uit te brengen, dat zeg je als je iemand in een tijd van rouw begroet.

'Fatah,' antwoordde ik. Ik bleef een eindje van haar af staan. We raakten elkaar niet aan en omhelsden elkaar ook niet, geheel volgens ons gebruik. Ze probeerde iets te zeggen, maar begon toen weer in haar handen en sjaal te huilen. In de dagen ervoor waren wel een stuk of twintig neven en nichten doodgegaan, en elk van hen was als een zoon of dochter voor haar. In het leven van een stam zijn neven en nichten net zo nabij als broers en zussen, en in tijden van zulk groot verlies doet dat echt lichamelijk pijn. In dit piepkleine dorpje waren drie kinderen en hun moeder gedood toen de witte Antonov-bommenwerper overkwam. Zes van de vijftig huizen waren afgebrand. Dit nieuws, dat mij al bekend was, kreeg ik nog een keer te horen van de vrouwen, terwijl ik met mijn hoofd iets gebogen naar mijn moeder toe stond.

Ze vertelden over elk sterfgeval: hoe het gebeurd was, hoe het nu met die familie ging, en fijne dingen over elke persoon, om te herinneren. Het is goed om op zo'n moment de doden te gedenken, want na de rouwperiode worden alle foto's van die persoon en alles wat aan hem herinnert weggehaald. Zijn kleren gaan naar een dorp ver weg. Het verleden ligt achter ons. Er gaan in dit land zonder artsen zoveel mensen dood dat het gewoonweg niet anders kan dan zo.

Ik hoorde iemand aan komen rennen en zag toen Ahmed door de omheining naar binnen komen. Tegen de gebruiken van de rouw en zijn eigen bedoelingen in greep hij glimlachend mijn arm beet en schudde me stevig de hand.

'Daoud,' zei hij. 'Fatah. Dus het is waar: je bent terug.'

'Fatah,' antwoordde ik, en ik probeerde niet ook te glimlachen.

Hij nam me mee en we gingen in de zon staan, weg van de zachte stemmen van de vrouwen. Hij was op de hoogte van al mijn avonturen, wist alles over alle baantjes en elke gevangenis, hij wist zelfs dat ik ternauwernood was ontsnapt. Ik hoefde echt niet te denken dat ik hem nog iets hoefde te vertellen. Terwijl hij stond te praten kwamen de geiten en de ezel van de familie naar hem toe om hun snuit tegen hem aan te drukken.

Ahmed zag er prima uit, maar wel ouder. Hij zorgde nu voor hele gezinnen waarvan de mannen dood waren.

'Kom, dan breng ik je naar vader,' zei hij na ons korte bezoek. Ik groette wederom mijn moeder, zus en de andere vrouwen, en toen liep hij met me het dorp uit, met zijn lange arm over mijn schouders.

Zo voelde ik me thuis. In Darfur had ik me een bezoeker gevoeld, zelfs in mijn oude dorp, als iemand uit een andere wereld. Maar Ahmeds arm om mijn schouder was als de zachtmoedigheid van thuis.

'Ik ben heel, heel blij je weer te zien, Daoud,' zei hij een paar keer. Ik vertelde dat hij de groeten moest hebben van de sjeik en dat die gezegd had dat we binnenkort een aanval konden verwachten.

'Ja, ik denk dat er over een paar dagen een aanval komt,' zei Ahmed. 'Niet morgen, maar wel kort daarna. We zijn bijna zover dat we de mensen kunnen evacueren. Jij kunt wel helpen een paar mensen daar klaar voor te maken, als je wilt,' zei hij.

'Natuurlijk,' zei ik.

We kwamen bij een groepje mannen die onder een oude boom stonden te praten.

'Fatah,' zei ik tegen de oudste van hen, mijn vader. Hij was in de tachtig, en dat is ongewoon oud voor dit land. Hij hield zich met behulp van zijn herdersstaf staande, spreidde zijn armen en drukte me tegen zich aan.

'Fatah,' fluisterde mijn vader in mijn haar. 'Dus je bent terug van al je avonturen,' zei hij. 'We hebben door het nieuws over jou te volgen veel over de wereld en gevangenissen geleerd,' berispte hij me goedhartig.

'Godzijdank ben je nu veilig thuis, maar je komt wel net op tijd voor nog meer problemen,' zei hij erachteraan. 'Moge God je behoeden.'

De andere mannen kwamen erbij staan om mij de hand te schudden en me te omhelzen. We spraken een uur lang met elkaar, en daarna ging ik Ahmed zoeken. Ik vond hem voor het erf van zijn gezin, waar hij met meer dan twintig mannen van tussen de vijfendertig en vijfenveertig stond te praten. Ze maakten plannen om de komende twee dagen de oude mensen en jonge kinderen te verkassen. Aangezien ze het ook over hun wapens hadden, die ze in gereedheid moesten brengen, vroeg ik Ahmed later wat deze groep ging doen.

'Wij zijn de verdedigers van het dorp,' zei hij. 'We blijven achter om de aanval te vertragen, mocht die komen voordat iedereen weg is. Daar zijn we op getraind, maar jij niet.'

Hij vertelde me dat de meeste jongere mannen zich al bij de rebellen hadden aangesloten. In de bergen waren nog andere verdedigers uit andere dorpen, die zouden komen als ze geroepen werden.

Vroeger had de sultan van een gebied een grote oorlogstrom. Een aantal van deze trommen bestaat nog steeds. Ze zijn zo groot dat er tien mannen met grote knuppels op kunnen slaan. Het geluid van deze trom – dat ik als kind meer dan eens gehoord heb – is in de woestijn over een afstand van twee of drie dagen lopen te horen. In de regentijd, als de wolken laag hangen, draagt het geluid zelfs nog verder. Op die manier weten alle dorpen die onder de sultan vallen wanneer er een verdrietig probleem is dat met vechten moet worden opgelost. De sultan stuurt dan afgevaardigden naar de omda's, en de dorpssjeiken gaan naar de omda's om het nieuws te vernemen en te horen wat voor strategie er gevolgd zal worden. Het kan bijvoorbeeld voorkomen dat Arabieren vee hebben gestolen en niet willen betalen. Er was geen hoger hof waar je met je probleem naartoe kon, dus kwam er op een afgesproken veld van eer een gevecht. Zoals gezegd vond dat altijd ver uit de buurt van vrouwen en kinderen plaats.

Wij jongetjes moesten dan de sterkste mannetjeskamelen gaan zoeken, zodat onze vaders en oudere broers een goed rijdier hadden voor tijdens het gevecht. Dan reden ze zonder ook maar iets te zeggen, zonder een woord van troost tegen de kinderen of vrouwen het dorp uit, met wapens en zwaarden aan hun zadel bungelend. De kamelen wisten wat hun te wachten stond en knarsten dan zo hard met hun tanden dat het in het hele dorp te horen was. Het geluid van angstige kamelen was het geluid van voor het gevecht, en het geweeklaag van jammerende vrouwen was het geluid van hun terugkeer. Het nieuws over de strijd en de namen van de gesneuvelden waren al lang voordat de vermoeide kamelen en de vermoeide mannen terug het dorp in gesjokt kwamen bekend. De mannen die het overleefd hadden gingen uiteen en brachten dan twee weken door op het terrein van de familie van de weduwen, zodat de vrouwen gezelschap hadden en hun verhalen konden horen. Op die manier werd hun gesneuvelde echtgenoot geëerd. Na verloop van tijd kon een van de broers van wijlen haar echtgenoot of een andere man haar als extra vrouw opnemen.

Ik vertel u dit allemaal omdat ik het tandengeknars van bange kamelen hoorde, en omdat de vogels op en neer vlogen alsof ze niet goed wisten waar ze veilig waren.

Tijdens het eten praatte Ahmed me bij over alle paden door de wadi die veilig waren, over alle waterputten op afgelegen plekken en over de grotten uit onze jeugd.

'Het zal niet meevallen om al deze mensen snel weg te krijgen,' zei hij. 'Mannen zoals jij, die als kind tot diep in de woestijn dieren hebben gehoed, kunnen als ze willen hen helpen de weg te vinden.'

Hij vroeg me niet om weg te gaan, maar het was wel duidelijk dat hij me ook niet vroeg om te blijven en te sterven, en bovendien had ik geen wapen. Ahmed dacht helder na. Hij had een van onze andere broers naar El Fasher gestuurd, de veiligste stad in Noord-Darfur, als een soort familieverzekering: wat er ook zou gebeuren, er zou altijd nog iemand in leven zijn om de vrouwen en kinderen van de familie die het overleefd hadden te helpen. Het was uitgesloten dat de hele familie met hem meeging, want er waren te veel dieren die verzorgd moesten worden.

Die avond en de avonden erna aten we kip, heerlijke kip, die we meestal voor speciale gelegenheden bewaren. Iedereen in het dorp at die avonden kip.

Ik leende djellaba's van Ahmed en droeg die. Ik had al jaren geen wapperende kleren meer gedragen, maar vond het nu wel prettig, ze waren koeler in de zon dan mijn westerse kaki kleding. Ze geven je schaduw, waar je ook gaat. Ik leende een van Ahmeds kamelen en ging kijken bij de dieren bij de waterputten. Ik gebruikte de kamelenzweep maar heel zachtjes, zodat ik wat snelheid kreeg. In het zand zag ik een schim van degene die ik had kunnen zijn als ik hier was gebleven.

Ahmed vertelde me dat sommige oude mensen weigerden te vertrekken. Ze wilden per se daar sterven waar ze hun hele leven hadden gewoond. Ze wilden zich niet laten vernederen door van huis en haard te moeten vluchten.

Ik vroeg wat er met onze ouders ging gebeuren. Ahmed wilde hen snel weghalen. Ze waren bereid te gaan.

Sommige families waren al weg. Een paar families hadden geregeld dat ze met een auto naar een ander dorp konden, maar de meesten hadden kinderen, dieren en bezittingen, en moesten dus lopen.

De dieren van onze familie bevonden zich, zoals die van de

meeste families, ergens ver weg op een plek die alleen wij kenden.

Ik bracht de tijd door met mensen helpen om voorbereidingen te treffen. Dan reed ik naar de verder weg gelegen groepjes hutten en moedigde ik de mensen aan om zich klaar te maken voor vertrek. Sommigen wilden niet gaan, en wezen dan en zeiden: 'We hebben onze overgrootvader daar begraven, en onze kinderen daar, dus waarom zou ik hier niet ook kunnen sterven?' Daar viel niets tegen in te brengen. Het betekende dat we ons om de vrouwen, kinderen en de jongere mannen moesten bekommeren en hen dan maar moesten helpen.

Vrouwen maakten hun kinderen gereed voor de lange reis, en u weet misschien wel hoe dat gaat, hoewel deze situatie natuurlijk een stuk ernstiger was. Wat neem je mee, wat laat je achter? Allemaal van die moeilijke beslissingen.

Ik werd een keer 's nachts wakker van een heel levendige droom. Ahmed stond midden in het dorp. Twee collega-dorpsverdedigers waren bij hem en riepen hem toe dat hij het op een lopen moest zetten. Vanaf de heuvel riep ik naar hen dat ze op de aanvallers moesten schieten. Niet tegen Ahmed schreeuwen, riep ik. Schiet liever die aanvallers neer, daar, en daar, en ik wees, want ik zag dat ze op Ahmed richtten. Maar het was al te laat, en Ahmed werd geveld door een kogel. Waarom hebben jullie niet op die aanvallers geschoten? riep ik toen ik beneden bij de mannen was. Waarom hebben jullie niet geschoten? Maar Ahmed was dood, en ik was misschien ook wel dood.

Door deze droom kon ik niet meer slapen. Ik liep het dorp uit en ging naar de heuvel die ernaast lag. Bij zonsopgang zat ik daar nog steeds, in de struiken.

Ik ontbeet met thee in de hut van mijn vader. (Echtgenoten en echtgenotes hebben ieder een eigen hut; daardoor blijven huwelijken lang in stand.) Ahmed was er ook en ik keek naar hem alsof hij al dood was. Ik kon hem niet vertellen wat ik gedroomd had. Ahmed zei tegen mijn vader dat hij meteen na de thee het dorp uit moest gaan en dat hij de rest van de dieren mee moest nemen. Mijn vader, die zei dat hij 's nachts schoten had gehoord, was het ermee eens en vertrok.

Om een uur of negen 's ochtends liep ik door het dorp om te kijken waar iedereen mee bezig was. Het liep tegen het eind van de regentijd en het was mooi weer. De vogels floten, dus ik ging ervan uit dat het minstens nog een uur veilig zou blijven. Maar toen hoorde ik een vreemd geluid en ik bleef staan om goed te kunnen luisteren. Het was een gebonk als van een grote trom, en toen meer en sneller gebonk van die trom. Vervolgens was het heel duidelijk het geluid van helikopters die steile wendingen maakten. Ik zag twee grote groene helikopters tussen de bomen door, die scherp onze smalle wadi in zwenkten. Het gebonk was afkomstig van hun motoren, terwijl ze zwenkten, en het gebonk van hun wapens deed de lucht trillen. Ik wist niet welke kant ik op moest rennen, dus bleef ik heel even verbijsterd staan en keek toe hoe de kogels het stof van het dorp deden opstuiven.

Ik zag Ahmed met zijn geweer over het erf naar buiten rennen. Mijn andere broer, Juma, was bij hem. Juma is een rustige, hard werkende man. Ik had hem nog nooit eerder opgewonden en met een geweer gezien. Juma en Ahmed leken bij het gebonk weg te rennen. Ze gingen in de richting van de monding van het kleine dal waar de grondaanvallers door naar binnen zouden komen. Met hun geren lokten ze de helikopters weg van de hutten. Ook andere verdedigers renden nu de heuvels aan weerskanten van het dorp op, maar voornamelijk aan de oostkant, om de aanvallers zo ver mogelijk het dal in te kunnen onderscheppen.

'Schiet op! Schiet op!' riepen ze elkaar boven het gestage *katatata* van de machinegeweren uit toe.

De vrouwen riepen 'Schiet op, schiet op!' naar hun kinderen en alles in het dorp kwam in beweging in een draaikolk van stof en lawaai. De dieren zetten grote ogen op van angst en de ezels krijsten en balkten. Ik zag niet waar de kogels heen gingen, maar zangvogeltjes vlogen verward en bang op uit de bomen. Ze gingen op mijn schouders zitten en verstopten zich in de plooien van mijn gewaden en sjaal. Maar toen zag ik dat ze dood van me af vielen, doordat hun hartje het had begeven door het lawaai. Ik rende naar de hut van mijn moeder. Zij, mijn zusje en haar kinderen waren al bezig te vertrekken en liepen snel tussen de hutten naar de veiligheid van de bomen en de rotsige wadi ten westen van het dorp. 'Kom, schiet op, schiet op!' riep ze naar haar kleinkinderen. Al snel droeg ik net als andere mannen een kind die kant op, zette andere kinderen op een ezel, spoorde de ezels aan – hup, hup – vond kinderen en soms ook hun moeder, die hysterisch stond te huilen, en smeekte haar toch vooral mee te gaan.

'Je mag wel huilen, maar je moet ook doorlopen. Schiet op! Je moet met je kinderen achter die bomen gaan staan. Je moet doorlopen. Kom op!'

Honderd mensen waren zo verstandig geweest om het dorp al in de dagen voor de aanval te verlaten; nu moesten we de honderdvijftig overigen nog zover zien te krijgen. De oude mensen die bereid waren te vertrekken hadden de meeste hulp nodig; we kwamen telkens terug om nu eens die te helpen en dan weer die, terwijl de kogels in de bomen sloegen en RPG-salvo's midden in het dorp explodeerden en de hutten in lichterlaaie zetten. We gingen bij de brandende hutten kijken en droegen de mensen die niet konden lopen. Het had allemaal een soort trage dromerigheid over zich.

Ik ben dood, ik ben dood, zo ben ik doodgegaan, het is helemaal niet zo erg, dacht ik de hele tijd, en ik durfde niet omlaag te kijken naar mijn lichaam, want er vlogen nog steeds zoveel kogels rond dat het nog niet veilig was. Ik bleef maar lopen en lopen, droeg mensen naar de bomen en omhoog het rotsige ravijn in, keek dan weer om in de hoop dat ik verder niemand zou zien die nog hulp nodig had, maar zag die natuurlijk wel en ging dan weer terug.

De kleine in camouflagekleuren beschilderde Land Cruiser van de aanvallers was nu in het lagergelegen deel van het dorp te zien. De verdedigers waren snel opgetrokken om hen klem te zetten, zodat wij meer tijd kregen. Verdedigers uit andere dorpen in de buurt hadden de helikopters gehoord en kwamen over de heuvels heen om ons te helpen. De troepen van het Soedanese leger en de Janjaweed zijn wreed, maar ze zijn niet achterlijk, en dus stormden ze niet ons kleine dal in, want dan zouden ze in de val zitten. Dat hadden de verdedigers heel goed uitgedacht.

Er werd van zo grote afstand met machinegeweren van groot kaliber op het dorp geschoten dat de aanvallers zich alleen maar dun over het gebied konden verspreiden en konden hopen dat ze mensen zouden doden zonder hen te zien. De helikopters schoten voornamelijk op de verdedigers aan de oostkant en niet op de mensen die aan de westkant probeerden te ontkomen. Als de verdedigers dood waren, zouden ze beslist ook achter ons aan komen, dus we wisten dat we door moesten blijven lopen.

De mensen werden de bergen in geduwd, en dat duurde zo'n vijftien à twintig minuten, hoewel het wel uren leek. Je moet blijven lopen, steile stukken op en dan weer door naar plekken waar de Janjaweed-ruiters nooit kunnen komen.

Terwijl we de laatste mensen uit het dorp wegloodsten zag ik dat de Janjaweed nu te paard in de aanval gingen en in de hutten schoten. Tegen die tijd hadden we iedereen eruit, behalve de verdedigers. We glipten weg tussen de rotsen en keken even van bovenaf toe, maar gingen toen weer door en dreven het achterste gedeelte van onze uittocht op.

Dat we op ons vertrek voorbereid waren geweest had wonderbaarlijk uitgepakt, aangezien iedereen, op de verdedigers na, nu veilig en wel het dorp uit was. Ik keek achter me, naar het zand beneden in de diepte, en zag kinderlijkjes noch vrouwenlijken op het zand, en ook niet tussen de hutten of bomen. Dat was gezien de omstandigheden een gezegende aanblik.

Achter ons hielden de verdedigers de aanvallers tegen en na een uur hoorden we hun schoten afnemen. Eindelijk was het stil. We liepen de hele dag en nacht door. De snelle mars was vooral zwaar voor de kinderen en de oude mensen die wel mee wilden gaan, maar de grootste angst was nu dat de helikopters ons zouden komen zoeken, want dat deden ze vaak na een aanval.

Mensen huilden onder het lopen en dachten aan wat ze hadden achtergelaten, en ze huilden om de verdedigers en om sommige oude mensen die waren achtergebleven.

Een paar jongens wisten we te kalmeren door te zeggen: 'Op een dag kunnen jullie dit belangrijke verhaal aan jullie kinderen vertellen.' Tegen de jonge meisjes en vrouwen, die geen toekomst meer voor zich zagen, viel echter niets te zeggen. Ons dorp was weg. Een aantal van onze beste mannen was dood. Terwijl ze in donkere rijen door de berg liepen, was er geen reden om níét te huilen.

De verdedigers van het dorp die het hadden overleefd, voegden zich tegen het vallen van de avond bij ons. Onder hen was mijn broer Juma, maar Ahmed zag ik niet. Juma kwam naderbij en keek me verdrietig aan. Dat was al genoeg.

'Fatah,' zei hij. 'Onze broer Ahmed is gedood. Misschien zien wij hem snel weer.'

We hielden elkaar vast. Hij vertelde dat de ernstig gewonde mannen ongeveer drie uur op het pad achter ons bleven, zodat de vrouwen en kinderen hen niet te zien zouden krijgen. Wij beschouwen het als onbeleefd wanneer een man, die als taak heeft om sterk te zijn, zich wanneer hij zwaargewond is aan vrouwen of kinderen laat zien.

Diep vanbinnen had ik gedacht dat Ahmed en Juma waarschijnlijk dood waren. Dat ik Juma nu in leven zag was heerlijk, maar de dood van Ahmed kwam heel hard bij me aan. We zouden het onze moeder en zus moeten vertellen. Misschien was het wel te veel voor hen.

Toen Juma en ik het hun vertelden, stonden ze te luisteren. Ze riepen hun God aan en baden om kracht voor deze met sterren bezaaide nacht.

De volgende ochtend, en de ochtend erna, hoorden we in de verte bommen en helikopters. Andere dorpen stierven nu.

Op de derde dag van onze vlucht kwamen we bij een waterput waar een aantal van onze mensen ons stond op te wachten, onder wie mijn vader. Hij had een paar van onze kamelen en andere dieren onder zijn hoede. Hij wist al wat er met Ahmed was gebeurd en zag er ten gevolge van dit bericht veel ouder uit.

Vijftien mannen, de jongere onder ons, besloten met de kamelen terug te rijden naar het dorp om de doden te begraven en de verstopte voedselvoorraden en kleding op te halen. De aanvallers hadden onderhand wel alles meegenomen wat ze wilden en het dorp platgebrand, en ze waren vertrokken. We moesten de lichamen begraven voor de wilde honden ze opvraten. We namen wat gereedschap mee voor het graafwerk en reden terug.

Van het dorp was bijna niets over, een stuk of zestig verschroeide zwarte plekken waar een hele wereld ooit het leven had gevierd. De nunus met gierst, veel matrassen en dekens, stapels bomen en delen van hutten rookten nog na, en wij vingen de geur al op voordat we de wadi binnen gingen.

Op de grond lagen dertien lijken, voornamelijk aan de oostkant van het dorp, waar de verdediging was opgesteld. De Soedanese soldaten en de Janjaweed hadden hun eigen doden natuurlijk meegenomen, dus deze dertien waren de verdedigers van het dorp en een paar mensen die te hulp waren gekomen.

Ik vond Ahmed. De gevolgen van grootkaliberwapens en wellicht een RPG-salvo waren zo verwoestend dat ik hem bijna niet herkende, maar het was Ahmed wel degelijk. Ik groef een graf, op onze wijze, zodat hij op zijn rechterzij kon liggen, met zijn gezicht naar het oosten. Ik legde de overblijfselen van deze geweldige man voor altijd in het diepe zand.

'Vaarwel, Ahmed,' zei ik tegen hem. Ik knielde neer en bleef een hele tijd zo zitten, in plaats van de anderen te helpen. Het regende een beetje.

Uiteindelijk kwam ik toch overeind en ging ik de anderen helpen.

Toen we een paar verstopte voorraden hadden opgehaald en op onze kamelen hadden geladen, maakten we ons klaar voor vertrek. Diep in de as van de smeulende hutten lagen natuurlijk nog de beenderen van de oude mensen die geweigerd hadden te vertrekken, maar voor hen konden we niets doen totdat ze door de regen bloot zouden komen te liggen. De wilde dieren zouden aan die verbrande beenderen niets hebben.

In de bomen zaten een paar vogels te zingen. Niet veel, een paar. Nou, dacht ik bij mezelf, die komen op een gegeven moment wel terug, net als de mensen.

Maar vooralsnog waren er alleen as en graven. Dit was een heerlijk dorp geweest.

8
Met z'n zevenen

Toen we weer bij de anderen waren, bleven we het grootste deel van de tijd bij de gewonde verdedigers, en we gingen heen en weer naar de vrouwen voor het eten en voor de traditionele medicijnen en de thee die zij klaarmaakten. Op die manier was ons dorp, hoewel het nu een zich verplaatsende streep in de woestijn vormde, nog steeds hetzelfde, met mensen die elkaar hielpen.

Hier en daar sloten mensen uit andere dorpen zich bij ons aan, en uiteindelijk vormden we een grote mensenmassa die over het land trok. Elke ochtend moesten we een paar mensen begraven die 's nachts aan hun verwondingen waren gestorven. Voor sommigen was het maar goed ook dat ze stierven, want we hadden daar geen morfine of andere medicijnen. Meestal zie je wel aan de ogen van een man of hij het geluk heeft voor de ochtend te sterven.

Op de vijfde dag kwamen we bij een afgelegen grazig dal, en sommige mensen die dieren onder hun hoede hadden wilden zich daar verstoppen en zich er tijdelijk vestigen. Mensen zonder dieren reisden door naar Tsjaad, er zat niets anders voor hen op.

Mijn moeder en zus behoorden tot degenen die achterbleven; zij wilden niet verder. Mijn vader trok verder met een aantal dieren en de andere mensen, want die hadden hem nodig. De kamelen gaven fantastische melk en de kinderen die het zwaar hadden konden erop zitten. Zodra hij kon zou hij met onze dieren teruggaan naar mijn moeder en zus. Op die manier werden mijn moeder en zus IDP's, zoals de wereld dat noemt: *internally displaced persons*, vluchtelingen die zich nog in hun eigen land bevinden.

En op die manier trokken de andere mensen nog zeven dagen verder, te voet naar Tsjaad, waarbij ze hun route onderweg met graven markeerden.

Zes van mijn oude vrienden en ik gingen vooruit op onze kamelen om de weg te verkennen. We brachten water uit de waterputten die we kenden naar de mensen. Dit werd een hachelijke aangelegenheid, want de regentijd was voorbij en de natte plekken in de woestijn droogden snel op. We kwamen andere groepen in de woestijn tegen die ook water nodig hadden, en je moet natuurlijk iedereen proberen te helpen. We hielpen heel veel mensen om verder te kunnen, om elkaar te vinden, om de veilige route te nemen. We brachten voedsel uit Tsjaad naar mensen die helemaal niks meer hadden.

Drie maanden lang gingen we in dit werk op. We sliepen in de struiken en lagen op de uitkijk naar de witte vliegtuigen, de regeringstroepen en de Janjaweed. We begroeven mannen, vrouwen en kinderen die de reis niet konden afmaken.

Veel andere groepen mannen deden hetzelfde werk. En in Tsjaad ontstonden overal langs de grens kampen. Iedereen hielp elkaar, aangezien de wereld nog niet te hulp was geschoten.

Ik ontmoette twee vrouwen, een van een jaar of vijfentwintig en een van vijfenveertig, die bij een dorpsaanval ontsnapt waren, maar wel als kersverse weduwe. Ze keken achterom en zagen dat de mannen van het dorp vanuit helikopters met machinegeweren werden doodgeschoten. Deze twee vrouwen wisten met twee metalen kistjes, nu zwaar gehavend, te ontsnappen. Daarin zaten de spullen die een traditionele verpleegster nodig heeft om baby's ter wereld te brengen. In een van de provisorische kampementen richtten ze een kliniek in en nu hielpen ze dag in dag uit mensen, lang voordat er een witte truck van de hulporganisaties arriveerde. En zo ging het overal. De beste manier om je pijn te begraven is anderen te helpen en daar helemaal in op te gaan.

Als mensen die heel lang zonder water hadden gezeten en wellicht een beetje ijlden ons met z'n zevenen op onze kamelen door de luchtspiegelingen van de woestijn zagen aankomen, wisten ze niet hoe ze het hadden. Dit was natuurlijk precies het wonder waarvoor ze gebeden hadden. Het was fijn om het wonder te zijn, en hoe kun je iets anders doen dat dat? Maar het was niet altijd het wonder dat de klok sloeg.

'Je moet die baby bij haar weghalen,' zeiden een paar vrouwen tegen me toen ze hun eerste slokjes water namen en naar een jonge moeder wezen die op een afstandje stond.

'Haar baby is dood en ze heeft hem gisteren en vandaag de hele dag bij zich gedragen. We mogen hem niet van haar begraven,' vertelde een van hen.

De jonge moeder nam een slok water uit de beker die ik haar toestak en keek me heel verdrietig aan.

'Ik wil je baby'tje nu graag meenemen. Ze is al weggevlogen,' zei ik tegen haar. Na een tijdje liet ze me het dode kindje meenemen.

Een kind verliezen is verschrikkelijk, zoals u wel weet. Dat is overal ter wereld hetzelfde. Baby's krijgen in Darfur meestal pas na een paar dagen of zelfs een paar weken een naam, omdat veel baby's hier, waar geen artsen en medicijnen zijn, sterven. De baby's die het niet redden worden als trekvogels beschouwd die hier niet willen blijven. Daarom wachten we met het kind een naam geven totdat duidelijk is dat de geest in dit kind hier wil zijn.

We trokken verder door een vreemd landschap van pijn, redden zo veel mensen als we konden en begroeven de lijken.

We kwamen bij een eenzame boom, niet ver van de grens met Tsjaad, waar we een vrouw en twee van haar drie kinderen dood aantroffen. Het derde kind stierf in onze armen. De huid van deze kindjes was net broos bruin papier, zo gerimpeld was hij. U hebt vast wel eens foto's gezien van kinderen die doodgaan van de honger en dorst, van wie de botjes door hun huid heen te zien zijn en wier hoofd heel groot lijkt vergeleken met hun verschrompelde lichaampje. U denkt natuurlijk dat het heel lang duurt voordat een kind er zo aan toe is, maar in werkelijkheid duurt dat maar een paar dagen. Het is hartverscheurend om te zien, net zoals het voor een moeder hartverscheurend is. Deze vrouw had zichzelf aan haar sjaal aan de boom opgehangen. We maakten haar voorzichtig los en begroeven haar naast haar kinderen. Dat moment zie ik nog elke dag voor me.

Later zou ik mensen ontmoeten die meer over haar wisten. Ik had er behoefte aan meer over haar te weten te komen. Ze was een jaar of dertig. Toen haar dorp door de Janjaweed werd aangevallen, werd ze samen met haar twee dochtertjes en zoon – de oudste was zes jaar – een week vastgehouden. De moeder werd herhaalde malen verkracht. Ze lieten de moeder en de kinderen in de woestijn weer vrij, ver van alle dorpen. Dat was waarschijnlijk goedkoper dan kogels aan hen verspillen, of misschien wilden ze dat hun zaad in haar zou groeien. Ze liep vijf dagen door de woestijn, zonder eten of drinken, en droeg haar kinderen. Toen ze ze niet meer kon dragen, ging ze onder de boom zitten. Ze kon niets anders doen dan toezien hoe haar kinderen stierven. Ze pakte haar sjaal en bond die aan een hoge tak om een eind aan haar leven te maken. We vonden haar diezelfde dag, een paar uur te laat.

Na deze maanden zagen we witte trucks aan de Tsjaad-kant van de wadi: de hulporganisaties die in noodsituaties komen helpen kwamen binnengedruppeld. We zagen hen in de verte in de hete woestijn, soms waren het lange rijen. Het was hoog tijd om met hen te gaan praten. Als deze mensen er waren, zou alles anders worden. Ik was er blij mee, maar mijn vrienden wisten niks van hen en begrepen niet wat ze konden doen. Deze groepen hadden in Egypte mijn leven gered, dus ik droeg hun een warm hart toe.

Mijn zes vrienden en ik dronken thee bij een kampvuur. Ik vertelde hun dat we Tsjaad in moesten gaan en moesten nagaan wat deze organisaties nu konden doen. We konden hen helpen.

'Ga jij maar alvast, Daoud, en help de vrienden die je daar hebt; jij spreekt Engels, dus dat is jouw taak,' zei de oudste van mijn vrienden. In zijn vriendelijke, gezaghebbende toon hoorde ik Ahmed. Door mijn opleiding zou mijn lot altijd een beetje anders uitpakken dan dat van mijn vrienden.

Omdat we wisten dat we op het punt stonden uiteen te gaan, gooiden we in het maanlicht een dierenbotje rond, zoals we als kind ook hadden gedaan, maar dan een beetje langzamer. Het spel heet Anashel, en er zijn twee teams van acht mensen voor nodig. Die avond speelden we met drie tegen vier, maar dat vond niemand erg. Iemand gooit het botje ver weg in het zand. Dan rent iedereen eropaf. Als jij het vindt, probeer je terug te rennen naar het doel zonder dat iemand je te pakken krijgt en tegen de grond werkt, maar je kunt het botje ook naar je teamgenoten gooien. Kinderen spelen dit spel altijd 's avonds, als er op z'n minst een halvemaan staat om hen bij te lichten en als het koel is en alle karweitjes gedaan zijn. De meisjes en jongens spelen het samen.

We hebben nog een spel, dat Whee heet, maar daar werden we al te oud voor, dus we hielden het bij Anashel. Maar voor uw informatie: bij Whee zit je met z'n achten in een team en probeer je je teamgenoten over een doellijn te krijgen, terwijl het andere team hun teamgenoten erover probeert te krijgen. In het midden lever je natuurlijk strijd. Het moeilijke is dat iedereen één voet aan de grond moet houden, dus springen ze op één been rond. Het is een heel moeilijk, maar ook heel grappig spel, en het duurt uren; je moet er jong en sterk voor zijn. De meisjes winnen vaak, dankzij al het water en hout dat ze moeten dragen.

Deze avond wist eindelijk iemand het Anashel-botje in het doel te krijgen en toen hielden we het voor gezien.

Ik heb deze mannen niet gedetailleerd beschreven, want als ik dat doe kunnen ze gedood worden om wat ik nu ga zeggen, hoewel sommigen van hen nu waarschijnlijk toch al dood zijn. Ze besloten hun kamelen voor wapens te verkopen en hun dorp te gaan verdedigen. Er viel met hen te praten.

De laatste ochtend dat we bij elkaar waren, schudden we elkaar hartelijk de hand en omhelsden elkaar. De zon moest nog opkomen aan de rode hemel toen zij in oostelijke richting op hun kamelen naar El Fasher reden en ik naar het westen.

9
De tolk

In Tine verkocht ik mijn kameel voor een bedrag dat gelijkstond aan ongeveer vierhonderd Amerikaanse dollars, en trok ik door het vluchtelingenkamp om te helpen waar ik kon. Doordat ik Zaghawa, Arabisch en Engels sprak was ik van nut voor de mensen van de hulporganisaties die nu Tsjaad binnen stroomden. Hulporganisaties worden meestal NGO's genoemd, wat staat voor non-gouvernementele organisaties.

Ik had al snel een goed netwerk van contacten binnen deze organisaties en hielp als tolk om de vluchtelingen het beetje hulp te bezorgen dat aanvankelijk beschikbaar was.

Wat de regering van Tsjaad betrof mochten de vluchtelingen het land in, maar ze moesten wel in de vluchtelingenkampen blijven, en ze mochten niet werken – zelfs niet gratis, zoals ik deed – want daarmee ontnamen ze werkgelegenheid aan de inwoners van Tsjaad. Dat was redelijk, maar het betekende wel dat ik niet veel kon doen, tenzij ik zei dat ik uit Tsjaad kwam. Dat deed ik dus maar, want dat was moreel gezien noodzakelijk.

Naarmate er meer NGO's het land binnen kwamen en naarmate de kampen razendsnel groeiden, werden de dienstdoende functionarissen steeds minder bereid om een oogje dicht te knijpen inzake mijn nationaliteit. Er arriveerden ook wat verslaggevers, vooral uit andere Afrikaanse landen, en ik wilde met hen Darfur in gaan en hun laten zien wat daar gaande was. Ik dacht dat ik wel wat Tsjaadse documenten nodig zou hebben om met de journalisten de grens over te kunnen steken, dus nam ik het geld dat ik overhad van mijn kameel en zocht mijn neven en vrienden op in Ndjamena, die me misschien konden helpen om de documenten te regelen. Op die manier werd ik Suleyman Abakar Moussa uit Tsjaad. De littekentjes op mijn slapen waren niet belangrijk: er wonen zowel in Tsjaad als in Soedan Zaghawa. Het was wel een beetje vreemd dat ik geen Frans sprak, zoals de meeste mensen uit Tsjaad, maar velen van hen spreken ook Arabisch, en dat is een van mijn talen, dus wist ik me toch te redden.

Het was riskant, en ja, ik herinnerde me de afranselingen in Egyptische gevangenissen toen ik gevangen was genomen nadat ik geprobeerd had Israël binnen te komen. Maar je moet altijd doen wat je kunt om mensen te helpen.

Toen ik klaar was om terug te gaan naar het grensgebied, ging ik eerst naar een van de grote hotels in Ndjamena, waar de NGO's en verslaggevers vaak logeren als ze hier net zijn. Ik had gehoord dat er journalisten zaten die een tolk nodig hadden om naar de vluchtelingenkampen te gaan, en misschien ook naar Darfur. Een vriend van me die in Tsjaad op een departement had gewerkt zei dat ik ene 'dr. John' moest zoeken, in het Novotel Hotel. Na drie dagen en verschillende bezoekjes aan dat hotel en aan het andere grote hotel zag ik een paar Massalit-mannen die ik in Abéché had leren kennen en die een beetje Engels spraken. De Massalit zijn een stam die voornamelijk in West-Darfur woont, terwijl de Zaghawa voornamelijk in Noord-Darfur wonen, en de Fur voornamelijk in Zuid-Darfur. De twee mannen zaten in de koffieshop van het Novotel en spraken met een blanke man die aan hun tafeltje zat. Ik liep naar hen toe en vroeg in het Arabisch: 'Wie is deze blanke man? Wie is deze *hawalya*?' Dat is een niet-onvriendelijk woord voor een blanke. Ze legden uit dat deze man tolken zocht om mee naar de kampen te gaan en dat zij met hem meegingen. Hij had ook een Zaghawa-tolk nodig. We waren blijkbaar naar elkaar op zoek geweest.

'*Dr. John, I presume?*' zei ik, en ik stelde me voor. Dat vond ik zelf wel een goeie.

Hij was niet echt een journalist. Hij was hier met mensen van de Verenigde Naties en het ministerie van Buitenlandse Zaken van de Verenigde Staten om vluchtelingen te ondervragen en wettelijk vast te stellen of er sprake was van genocide. Als het technisch gesproken geen genocide was, maar eerder een gewone burgeroorlog, vroeg dat om een andere internationale interventie. Het was pas genocide als de slachtoffers omwille van hun etnische identiteit doelwit geworden waren.

Dr. John, een jonge Amerikaan, zo te zien eind twintig, met blond haar en een flinke baard, zei dat hij geen dokter was, maar dat dit zijn bijnaam was. Hij vond het fijn om Suleyman Abakar Moussa uit Tsjaad, die Zaghawa, Arabisch en Engels sprak, te ontmoeten. Nadat hij veel vragen had gesteld, vroeg hij of ik een van hun tolken wilde worden voor dit onderzoek naar mogelijke misdrijven met betrekking tot genocide. Ja, dat wilde ik wel. Ik had mijn lotsbestemming gevonden.

10
Stokken voor wat schaduw

Onze karavaan van witte voertuigen, het onderzoeksteam naar genocide, werd bij het vluchtelingenkamp Breidjing aan de oostgrens van Tsjaad met Soedan bij een legerpost binnengelaten. Van dit soort kampen waren er op dat moment langs de grens een stuk of tien.

De horizon voor ons wapperde van plastic zeildoeken en kleine lappen die voor wat schaduw aan stokken waren gebonden. Er stonden gehavende groene tenten en om nog meer stokken was gescheurd wit plastic gebonden dat als daken en muren dienst moest doen. Waar de weg een beetje omhoogging bleek deze dunne lijn van wapperende doeken een gigantische stad der wanhoop, alsof alle armoede en verdriet van de wereld afkomstig waren van één eindeloos opslagterrein, en dat dat zich hier bevond. Van dit kamp was het aantal bewoners in de paar weken dat ik weg was geweest verdrievoudigd. Overal flapperden nu flinterdunne tentjes in de wind. Sommige waren gemaakt van gescheurde resten canvas uit Rwanda en Sierra Leone en andere eerdere tragedies, waarvan nu een armzalig nestje van twijgen en lappen was gevlochten voor dertigduizend trekvogels.

Door de aanblik van zoveel mensen in nood vielen mijn eigen

problemen van me af. Omdat ik al eerder in dit kamp was geweest, was ik bang geweest dat de mensen die mij hier kenden Daoud tegen me zouden zeggen, terwijl de onderzoekers naar de genocide me als Suleyman, ingezetene van Tsjaad, in dienst hadden genomen. Ik werd nog steeds gezocht door de regering van Soedan, al sinds ze me vanwege overtreding van de immigratiewet uit Egypte hadden geprobeerd uit te leveren. Als Tsjaad me zou arresteren vanwege valse documenten of vanwege het feit dat ik illegaal werkzaam was in plaats van in een vluchtelingenkamp te blijven, zouden ze me misschien naar Soedan sturen, en dan was het met me gedaan, zoveel was zeker. Terwijl we onderweg waren was dit geen moment uit mijn gedachten geweest.

Toen we de raampjes omlaagdraaiden, werden we begroet door vertrouwde geuren en het zachte geroezemoes van een grote menigte: huilende baby's, maar ook lachende kinderen die achter ons aan renden, die hun vingers uitstaken om de onze te kunnen aanraken; moeders die hun kinderen nariepen voorzichtig te zijn, het gekraak van bossen brandhout die van de rug van ezels werden geladen, het gebalk van diezelfde ezels, de rook en geur van duizend vuurtjes, van kruiden- en muntthee, van hete olie in de pan en oververhitte, vieze kinderen, die niet lachten. Een nevel van geluid, rook en stof strekte zich over het rommelige nest uit zo ver het oog reikte, behalve daar waar de vrouwen hun mooie kleuren droegen, die te midden van de stokken opvielen: schoon en helder rood, oranje, geel, knalblauw en felgroen. De vrouwen van Afrika, dat weet iedereen, hebben gevoel voor kleur en ze versierden deze plek met zichzelf, zoals ze altijd doen. De opvallende kleuren die ze voor de aanvallen hadden opgeborgen wapperden nu uitdagend rond hun magere lichaam, de vlaggen van veerkrachtig leven.

In de rijen, die wel een dag konden blijven staan, stonden misschien wel duizend vrouwen en kinderen op hun maandelijkse rantsoen van tarwe, olie en zout van het Wereld Voedsel Programma van de VN te wachten. Anderen stonden met een plastic jerrycan in een aparte rij te wachten op hun beurt bij de waterpomp.

Elke dag gingen diezelfde meisjes en vrouwen hout halen voor hun kookvuren door takken uit de omringende wildernis te zoeken. Deze gebieden waren snel kaal, wat de plaatselijke stammen tot woede bracht en waardoor men genoodzaakt was steeds dieper gevaarlijk grondgebied in te trekken. Het gevolg hiervan was dat verkrachting nu de gangbare prijs voor brandhout was. Als de vrouwen hun mannen eropuit stuurden om hout te zoeken of als die meegingen ter bescherming, werden de mannen gedood. Dus gingen de vrouwen en meisjes maar alleen en in kleine groepjes, waarbij ze vaak door de mannen van de plaatselijke stammen werden verkracht. In Darfur gaat het er precies zo aan toe, maar daar zijn het de Janjaweed die verkrachten. De volgende tragedie waar deze vrouwen mee te maken kregen, waren de massale zwangerschappen van ongewenste kinderen. De meisjes en vrouwen die naar ons keken terwijl wij voorbijreden en ons stof uit hun ogen knipperden hadden de blik van mensen die dit allemaal al hadden meegemaakt.

Afgezien van het voedsel en het aan flarden gescheurde canvas, en wat tekenpapier en potloden, zodat de kinderen tekeningen konden maken van hutten, koeien, helikopters die mensen neerschoten, vliegtuigen die bommen lieten vallen, mannen met bajonetten die mensen neerstaken die op deze tekeningen werden aangemerkt als de ooms, broers en zussen van deze kinderen, afgezien van dat alles was er hier van de liefdadigheid van de wereld bar weinig te bekennen. Misschien hadden de rijke landen zichzelf eindelijk opgeblazen en waren ze niet meer in staat om hun gebruikelijke symbolische hulpmiddelen te sturen voor de problemen die hun honger naar bronnen zulke mensen altijd had bezorgd. Ik moet er wel bij zeggen dat er veel gedaan werd waarvan wij op het eerste gezicht niets konden zien: organisaties zoals Artsen zonder Grenzen, Oxfam, en Intersos uit Italië waren hier hard aan het werk, maar je hart breekt hoe dan ook van de rokerige ellende van dakloze mensen zo ver het oog reikt.

Met canvas en plastic ontstaan er in een woestijn heel hete beschuttingsplaatsen, en die had de wereld dan ook gestuurd, precies het verkeerde en bij lange na niet genoeg. Misschien was er ook niks wat wél goed was om te sturen: de grashutten van Darfur, heerlijk koel in de zomer en warm in de winter, waren hier onmogelijk, omdat er niet genoeg gras en houten palen waren, geen ruimte om ze neer te zetten en niet genoeg jonge mannen in leven om ze te bouwen. Wat moest er dan in zo korte tijd voor zoveel mensen gebouwd worden? Maar dan nog, valt er, als we toch allemaal familie zijn, met al die briljante mensen en al die rijkdom ter wereld voor dit soort tijden niet een menselijke vorm van beschutting te bouwen? Laten ze een vredesprijs uitreiken aan degenen die de mensheid op een dag deze morele gunst kunnen bewijzen.

Ik had wel enig idee waar mijn vader en moeder zich op dit moment schuilhielden, en ook mijn zus Aysha en haar kinderen. Mijn broers die nog in leven waren zaten her en der verspreid, als ik de berichten van mijn neven en nichten mocht geloven. Mijn tweede zus Halima die vlak bij ons geboortedorp had gewoond, zat met haar kinderen in een gebied waarvan ik hier de naam niet kan noemen. Dankzij de rondtrekkende neven had ik met allemaal regelmatig contact.

Mijn derde zus Hawa die in het dorp van haar echtgenoot in Zuid-Darfur woonde, werd sinds de aanval op hun dorp vermist, samen met haar man en kinderen. Ik dacht dat ik met mijn nieuwe werk in de kampen haar en haar gezin, als ze nog in leven waren, misschien zou kunnen vinden. Ik keek altijd naar hen uit en informeerde naar hen. Meer dan vierduizend dorpen waren aangevallen en in de as gelegd, dus het zou wel moeilijk worden.

Ons team bestond uit een man of twintig: de ene helft tolken en de andere helft genocideonderzoekers uit de Verenigde Staten, Canada, Australië en Europa. Wij tolken hadden een paar dagen een opleiding gevolgd om de mensen vragen te stellen zonder hun nog meer leed te berokkenen. De gevoeligheid van deze onderzoekers raakte me diep. Sommigen waren nog heel jong en kwamen zo van de universiteit, en er waren oudere bij die ook in Bosnië, Rwanda en andere verschrikkelijke oorden hadden gewerkt.

De leider van het kamp, die voor een van de grote hulporganisaties had gewerkt, heette ons team van harte welkom. Ik bleef een beetje achteraf staan, want ik wilde niet herkend worden of bij mijn nieuwe naam worden voorgesteld. Onze leiders gingen het kantoor van de beheerder in en ik voelde me weer even veilig. Maar toen kreeg de vrouw die de leiding had over onze groep een telefoontje van een van mijn neven, die me had opgespoord en me wilde zeggen dat een paar andere neven van ons de dag ervoor aangevallen waren. Ze kwam naar buiten en zei dat ze een telefoontje voor ene Daoud had. Kende iemand een Daoud?

Een paar van de tolken kenden mijn geheim en keken naar mij. Ik haalde diep adem, glimlachte en trad naar voren.

'Zo word ik door sommige vrienden genoemd. Soms noemen mijn neven me ook bij die bijnaam. Daoud is dezelfde naam als David uit de Bijbel. Zo noemen ze me omdat ik het niet erg vind om met mannen die groter zijn dan ik te vechten.' Ze keek me een beetje bevreemd aan.

'We hebben allemaal een heleboel bijnamen,' zei een van de bevriende tolken snel, waarop de anderen moesten lachen. De vrouw trok haar wenkbrauwen op, gaf me de telefoon en zei: 'Oké. Ik snap het', en liep terug naar binnen. Over dit soort dingen bleek ze altijd heel cool te doen.

11
Tweeënhalf miljoen verhalen

We splitsten ons al snel op in groepjes en gingen aan de slag. Samen met een van de onderzoekers ging ik op zoek naar een sjeik die ik kende. Een kamp is net een hele groep dorpen die bij elkaar gezet zijn, inclusief hun sjeiks. We vroegen de sjeik ons te helpen om vluchtelingen te zoeken die bereid waren te praten over wat hun overkomen was. Hij ging een eindje met ons lopen en toen vertelde ik hem waar het dorp van mijn zus had gelegen en vroeg ik of hij iets over haar familie wist. Dat wist hij niet.

'Er zijn nog veel andere kampen,' zei hij op vriendelijke toon. 'Misschien zijn ze in leven en zitten ze daar.' Ik dacht er maar liever niet aan hoe vaak hij dat al tegen bezorgde mensen had moeten zeggen. In elk kamp zijn natuurlijk namenlijsten, en die keek ik altijd na, maar er zijn te veel verwarde verplaatsingen, te veel angst en ongeletterdheid, en te veel ontheemde mensen – inmiddels 2,5 miljoen – waardoor die lijsten nooit ofte nimmer compleet kunnen zijn. De sjeiks zijn altijd beter op de hoogte dan de lijsten van de NGO's.

We liepen samen met hem door de mensenmassa. Piepjonge jongetjes liepen achter ons aan, gekleed in een vies en gescheurd hemdje en een korte broek. Ze renden om ons heen, sprongen op en neer, probeerden de hand van de blanken te schudden, oefenden de paar woordjes Engels die ze op hun inmiddels afgebrande school hadden geleerd, of in het snikhete canvas klaslokaal van het kamp, of onder de bomen, toen de schooltenten weggewaaid waren: *hello, good morning, thank you, how are you?, what is your name?*

Ik keek of ik de jongen zag die ik had ontmoet toen ik een paar weken geleden in het kamp was. Hij was een jaar of acht en had een reusachtige zonnebril op, waardoor hij eruitzag als een kleine filmster. Ik zag hem nergens, en dat was niet zo vreemd, want in deze onafzienbare woestijn was hij maar een kiezelsteentje, net als mijn zus, als ze nog in leven was.

Er voegden zich een paar moedige meisjes bij de jongens die om ons heen sprongen, maar de meesten liepen verlegen langs de rand van ons gezelschap mee, terwijl ze de slippen van hun kleurige sjaals stevig vasthielden en soms hun hele gezicht verborgen, op hun grote bruine ogen na. Oudere meisjes en vrouwen liepen af en aan met water en hout, en vertraagdem hun pas om even naar ons te kijken. Een paar bofkonten hadden een ezel om hen te helpen. Ezels zijn de beste vrienden van de vluchtelingen en waren de enige dieren die veel van deze families nog hadden, áls ze al dieren hadden. Vergeleken met een kameel, die voor de familie een soort heel goede truck is, is een ezel een bruin karretje, maar heel dierbaar en veel gebruikt. Elke dag werden de ezels door de kinderen geknuffeld.

Toen ik klein was, was ik ook heel dol geweest op de ezel van onze familie, maar op een andere manier dan op mijn snelle kameel Kelgi, die niet minder intelligent was dan de mensen die ik kende. Eén keer, toen Kelgi gestolen was, liep hij 's nachts met de dief in kringetjes rond, zodat we die de volgende ochtend gemakkelijk in de kraag konden vatten. Mijn vader foeterde de man uit en verzocht zijn familie om de schuld te betalen in de vorm van een paar dieren, en dat deden ze ook. Deze dieren verkocht mijn vader, en van het geld kocht hij nieuwe kleren voor ons, en ik kreeg mijn eerste paar schoenen. In de hoeven van een kameel zitten trouwens barsten en andere tekens die net zo kenmerkend zijn als vingerafdrukken, dus je kunt een kameel ook nog opsporen als hij heel ver weg is, en je kunt zien wie van je vrienden via die of die route gekomen is. Over kamelen kan ik wel eindeloos doorgaan. Hun melk is heerlijk als toetje, er is zoveel van en hij is zo waterig dat hij vaak wordt gebruikt om na een zandstorm als douche over je hoofd en armen uit te gieten. Kamelenvlees is jammer genoeg verrukkelijk en hoeft niet gezouten te worden.

Ezels zijn, net als kamelen, trouw tot aan de dood. De ezels hadden het verschrikkelijk zwaar toen ze de kinderen uit Darfur naar Tsjaad brachten. Ze liepen maar door, zonder dat er genoeg eten of water voor ze was. Na drie dagen zonder water gaat een ezel dood. Een kameel daarentegen loopt na vele dagen zonder water leeg. Hij wordt kleiner, gaat er ouder uitzien en laat zijn kop hangen. Maar als hij zich te goed heeft gedaan aan gras en water is hij weer mooi, sterk en groot, en ziet hij er weer jeugdig uit. Ezels kunnen dat niet. Sommige ezels hielden het langer dan drie dagen zonder water vol, want als er al een beetje water was, werd dat aan de kinderen die erop zaten gegeven. Wanneer deze dieren bij het kamp aankwamen en de kinderen eindelijk van zich af voelden glijden, vielen veel ezels meteen dood neer, want hun liefdevolle werk zat erop. In sommige kampen stapelden de NGO's honderden van deze dode ezels op en verbrandden ze in een groot vuur dat voor de mensen verschrikkelijk was om aan te zien, en vooral voor de kinderen. Deze dieren waren net familie, zo bescheiden en toegewijd.

De ezels die de tocht overleefden liepen nu maar wat graag door het kamp rond met hout en water.

Mijn onderzoeker en ik zaten in de kostbare schaduw van een kleine boom op een stromat. Er zaten zeven mensen bij ons, die tijdens onze wandeling door de sjeik opgetrommeld waren om ons hun verhaal te vertellen. Een paar mensen wilden dat de wereld zou weten wat voor verschrikkelijke dingen ze hadden meegemaakt en wilden dat wij hun verhaal persoonlijk aan de secretaris-generaal van de VN, wiens naam zij kenden, zouden vertellen. Sommigen dachten dat wij hem ook wel goed zouden kennen, zoals zij hun eigen sjeik kenden. Anderen beleefden hun pijn in stilte en spraken alleen uit respect voor de sjeik en zijn verzoek met ons.

Vaak barstten de verhalen los en vaak werden ze ons langzaam en stil gepresenteerd, net als thee. Deze langzame verhalen werden verteld met een ingetogenheid waarvan me tijdens het tolken de tranen in de ogen sprongen en die mijn stem deed verstikken; want als mensen geen emotie meer bij zulke verhalen lijken te hebben, moet je er die met je eigen hart bij leveren.

Het doet veel mensen goed als er iemand naar hen luistert en hun verhaal opschrijft; als hun ellende ergens, door iemand, wie dan ook, wordt opgemerkt kunnen ze hem gemakkelijker loslaten, omdat ze weten waar hij is. Maar voor een vrouw of een meisje dat kapotgemaakt is bestaat nauwelijks troost. De pijn staat diep in haar lege ogen en lege stem geschreven. Ze denkt dat het voor haar niet meer goed kan komen. We luisterden met gebogen hoofd en zorgden er goed voor om alleen dan iets te zeggen wanneer zij nog een vraag kon verdragen, en daarna misschien nog een of twee.

De eerste dag was heel zwaar, voor iedereen die een verhaal vertelde en voor iedereen die luisterde. Zelfs het gezicht van de meest ervaren onderzoekers was besmeurd met het stof van het kamp. De dagen hierna zouden niet gemakkelijker zijn.

De verhalen van de aanvallen leken vaak op het mijne, hoewel ik me realiseerde dat ons dorp van geluk had mogen spreken dat Ahmed er de leiding had. Veel dorpen waren er volslagen door verrast: de bewoners waren omsingeld, levend verbrand, vanuit helikopters in de lucht en door Janjaweed op de grond afgeslacht, waarbij er maar een paar hadden weten te ontkomen. Of er waren mensen uit een ander dorp gekomen en hadden iedereen dood aangetroffen, met de verbrande lijken in een hartverscheurende houding: moeders die waren gestorven terwijl ze hun kinderen probeerden te beschermen en echtgenoten die waren gestorven terwijl ze hetzelfde probeerden te doen voor hun vrouw. Honderdduizenden doden. Miljoenen daklozen.

Terwijl ik die eerste avond zat te wachten op de terugkeer van een paar teams die zich verder in de richting van de horizon van ons grote kamp hadden gewaagd, kwam er een functionaris uit het kantoor en zag mij. 'Daoud!' riep hij. 'Wat doe jij hier?'

Hij wist dat het werk dat ik deed tegen de regels voor een vluchteling in Tsjaad was, dus liep ik langzaam naar hem toe om tijd te rekken en na te denken. Toen ik halverwege was, verscheen er plotseling een man van eind dertig, met een vies en gescheurd gewaad aan en een hoofddoek om, uit de struiken aan de rand van het kamp, en hij liep naar me toe. De pijn sloeg van zijn gezicht zoals de hitte van een kacheltje. Hij schudde me de hand en wilde die niet loslaten, terwijl hij er kalm op klopte.

'Jij bent een Zaghawa,' zei hij, 'en ik moet je onder vier ogen iets vertellen.'

Hij liep een eindje met me de struiken in en gebaarde dat ik naast hem in het zand moest gaan zitten, en dat wilde ik gezien de omstandigheden maar wat graag. Meteen kwam de vrouw van de man naar ons toe en zei smekend: 'Hij is niet goed in zijn hoofd. Stel hem alstublieft geen vragen.' Maar ik merkte dat de man iets kwijt moest, dus vroeg ik zijn vrouw of ik alleen maar naar hem mocht luisteren, als twee Zaghawa-mannen die toch al vrienden hoorden te zijn. Dat mocht, en ze ging een paar struiken verderop staan, waar ze heen en weer liep en ons in de gaten hield.

Ze kwamen uit Noord-Darfur. Hun dorp was een paar maanden voor het mijne aangevallen en verwoest.

'Iedereen rende zo hard hij kon. Mijn vrouw daar hield ons zoontje van twee jaar stevig in haar armen en ze rende weg door de struiken. Godzijdank vond ze de juiste weg. Ik nam mijn dochtertje van vier, Amma, en we renden zo hard we konden via een andere kant om de struiken heen. Ze kregen me te pakken, de Janjaweed, en ik liet haar hand los en zei dat ze moest rennen. Maar ze rende niet door; ze keek vanuit de struiken toe hoe ze me afranselden en aan een boom vastbonden, met mijn armen er zo omheen', hierbij boog hij zijn armen op zijn rug.

'Een van de mannen van de Janjaweed begon me dood te maken, op een heel pijnlijke manier. Mijn dochter kon het niet aanzien, dus rende ze naar me toe en riep: "*Abba, Abba.*"' Deze woorden, die 'papa, papa' betekenen, knepen zijn keel dicht van emotie, en hij zweeg nu iets langer.

'De Janjaweed-man die me aan de boom had vastgebonden, zag dat mijn dochtertje naar me toe rende. Hij liet zijn geweer zakken en liet haar zo in zijn bajonet lopen. Hij gaf er een stoot mee. Het mes ging dwars door haar buik heen. En nog riep ze "Abba! Abba!" naar me.

Toen tilde hij zijn geweer op, met mijn dochtertje eraan vast, terwijl haar bloed over hem heen stroomde. Hij danste met haar hoog in de lucht rond en riep tegen zijn vrienden: "Kijk eens hoe wreed ik ben", en zij zongen terug: "Ja, ja, je bent wreed, wreed, wreed!", en onderwijl maakten ze nog meer mensen dood. Mijn dochtertje keek me smekend aan en strekte haar armen in al haar pijn naar me uit. Ze probeerde nog "Abba" te zeggen, maar er kwam niets meer uit.

Het duurde heel lang voordat ze dood was en haar bloed stroomde zo vers en rood op die... wat was hij eigenlijk? Een man? Een duivel? Hij was rood beschilderd met het bloed van mijn dochtertje en hij danste in het rond. Wat was hij voor iemand?'

Deze man had het kwaad gezien en niet geweten wat hij ermee aan moest. Hij zocht naar een antwoord op de vraag wat het was en waar zijn dochtertje dit aan verdiend had. Nadat hij een tijdje zonder iets te zeggen had zitten huilen, vertelde hij me dat hij niet meer wist wie hij was.

'Ben ik een vrouw die in dit kamp moet blijven of een man die eigenlijk moet gaan vechten en mijn vrouw en zoon zonder bescherming achter moet laten?' Hij keek me aan alsof ik wel het antwoord zou weten op de vraag van zijn leven zoals het nu was. Hij wachtte op een antwoord dat ik niet kon geven.

'U leeft nog,' zei ik. 'Ze hebben u niet gedood.'

'Bestaat er een betere marteling dan dit?' vroeg hij vinnig. 'Bestond er een betere marteling dan mijn vrouw en zoon dit te moeten vertellen?'

Zijn vrouw kwam weer naar ons toe en ging naast haar man zitten. Ze plukte een paar blaadjes van de sjaal die om zijn hoofd gewikkeld zat. Ze vertelde dat zijn geest na de aanval niet meer dezelfde was geweest. 'Godzijdank dat we onze zoon hebben, en hij is een goede jongen,' zei ze. 'Ik zei tegen mijn man dat Amma er niet meer was en dat we aan de toekomst moesten denken. Maar hij kan het niet loslaten wat hij gezien heeft.'

De vrouw vertelde me dat ze in het kamp een man had gevonden die kon schrijven en die daar inkt en een pen voor had. Ze had hem zinvolle passages uit de Koran op houten plankjes laten schrijven, die daarna gewassen werden, zodat haar man het inktachtige water kon opdrinken. Dat is een oud middeltje dat vaak goed werkt, maar voor hem had het niet veel uitgehaald. Ze zouden het nog een keer proberen. Haar man knikte.

Toen ik lange tijd daarna weer in het kamp kwam en ik de sjeik vroeg of hij me wilde helpen om dit gezin te vinden, was de man weg en zijn vrouw herinnerde zich mij niet meer. Ze leek nog verdoofder dan eerst. Haar zoon had ze nog bij zich, zei ze, maar die was op dat moment naar de school van het kamp. Ik was teruggekomen omdat het verhaal dat de man niet wilde loslaten nu in mijn hoofd zat en ik er, samen met andere verhalen, over droomde, waardoor ik bijna elke nacht wakker werd. Ik dacht dat we er misschien allebei iets aan zouden hebben om elkaar weer te spreken, maar hij was weg. Misschien was hij weggegaan om te vechten en zijn leven achter zich te laten, zoals ik op mijn manier ook deed.

Het is interessant dat mensen op zoveel manieren pijn gedaan kan worden en dat ze op zoveel manieren gedood kunnen worden, en dorpen geterroriseerd en in brand gestoken, en kinderen in de woestijn kunnen sterven en jonge moeders kunnen lijden. Ik zou zeggen dat deze manieren om dood te gaan en te lijden onzegbaar zijn, maar toch wordt erover gesproken: in de loop der weken interviewden we 1134 mensen. Hun verhalen spookten door mijn bijna slapeloze nachten. Ik merkte dat als ik tekeningetjes maakte van de taferelen die me uit de doeken werden gedaan, de verhalen soms lang genoeg uit mijn hoofd verdwenen om een beetje te kunnen slapen. Ik was blij dat ik de verhalen uit de kampen niet echt goed kon tekenen, net als de dingen die ik met eigen ogen had gezien, zoals de jonge moeder die in een boom hing, haar kinderen met de huid van bruin papier, en moeders die hun dode baby bij zich droegen en niet wilden loslaten. Het waren houterige poppetjes, eigenlijk. Maar toch hielp het.

12
Contacten

Toen het genocideonderzoek was afgerond, ging ik terug naar Ndjamena, in Tsjaad, en gebruikte ik nog een laatste maaltijd met dr. John en de anderen. Genocide is niet altijd gemakkelijk te bewijzen, dus de vele interviews waren noodzakelijk geweest. De Verenigde Staten en andere landen gebruikten dit onderzoek om vast te stellen dat de regering van Soedan inderdaad met een genocide bezig was. De Amerikaanse regering deed verder niet veel, maar het Amerikaanse volk hielp wel enorm, zoals men daar altijd doet, net als de bevolking van Europa en veel andere landen. Democratie staat of valt met de vraag of een regering het hart van zijn volk vertegenwoordigt.

Met het salaris dat ik als tolk had ontvangen, kocht ik een mobiele telefoon. Ik wilde een mobiel nummer in de kampen achterlaten en bij mijn neven en nichten, voor het geval er nieuws was over mijn familie en met name over mijn zus die vermist was. Ik wilde ook een mobiele telefoon om onderzoekers of misschien journalisten mee te kunnen blijven nemen naar de kampen, en naar Darfur. Ik gaf mijn nummer aan mensen van de Amerikaanse ambassade en ook nog op andere plekken: 'Dit is mijn mobiele nummer. Ik spreek Engels, Arabisch en Zaghawa, en ik ben bereid om verslaggevers en onderzoekers naar de vluchtelingenkampen van Darfur en naar Darfur zelf mee te nemen. Ik heb voor de genocideonderzoekers getolkt, voor het geval u bij hen naar mij wilt informeren.'

Vlak daarna kreeg ik een telefoontje van een groep journalisten uit Zuid-Afrika en andere Afrikaanse landen, vier zwarte mannen en één blanke. Voor hun reportages durfden ze alles en ze wilden overal heen om het geweld ter plekke te aanschouwen.

Ik begon bij mijn neven en nichten, bij vrienden, verslaggevers en andere buitenlanders met goede contacten naar de telefoonnummers te vragen van mensen die ons konden vertellen hoe we op een veilige manier naar gevaarlijk gebied konden reizen. Mijn mobiele telefoon vulde zich met de nummers van sjeiks, chauffeurs, militairen van Tsjaad en zelfs aanvoerders van rebellengroepen, iedereen die een verslaggever kon helpen om het gebied in te komen en weer veilig eruit.

De verslaggevers waren van een heel ander slag dan de medewerkers van de NGO. Papieren of grensformaliteiten interesseerden ze niks. Ze wilden gewoon een verhaal schrijven waar de mensen iets aan zouden hebben. Verder dronken ze ook heel veel.

Als de genocideonderzoekers net engelen uit de hemel waren, dan waren de verslaggevers net cowboys en cowgirls die orde op zaken kwamen stellen. Toen ik afscheid van deze Afrikaanse journalisten nam na onze reis door de kampen en een stukje Darfur in, waar we een verwoest dorp zagen en met vluchtende mensen en wat rebellengroepen spraken, vroeg ik hun om tegen andere verslaggevers te zeggen dat ze vooral hierheen moesten komen om nog meer verhalen over Darfur te schrijven. Ze beloofden contact op te nemen met bevriende journalisten over de hele wereld en hun mijn telefoonnummer te geven.

Een van mijn vrienden vertelde me dat er mensen waren die

zich afvroegen of ik echt uit Tsjaad kwam of eigenlijk uit Soedan. Op zulke plekken is er altijd wel iemand die over alles wat je doet verslag uitbrengt. Het feit dat we de grens over waren gestoken en met rebellen hadden gesproken was al snel bij veel mensen bekend. Tsjaad en Soedan hebben een haat-liefdeverhouding, en op dat moment probeerden ze juist samen te werken. Soedan zei tegen Tsjaad dat ik waarschijnlijk met verslaggevers hun grens over was gegaan. Mijn vriendin opperde dat ik maar werk moest zoeken waarbij ik onzichtbaar was. Ik vroeg haar mij te bellen als het ernaar uitzag dat er iets ergs ging gebeuren. Als je je over dat soort dingen zorgen begint te maken, denk je dat je gevolgd wordt, ook als dat helemaal niet zo is. Maar misschien werd ik wel door een paar mensen gevolgd.

Vlak nadat de Afrikaanse journalisten vertrokken waren, vloog ik met een toestel van de VN van Ndjamena naar Abéché, samen met twee vrouwen uit New York. Megan en Lori waren geen verslaggevers, maar wel avontuurlijk. Om iets voor de wereld te betekenen hadden ze een baan bij een internationaal bureau aangenomen dat vrouwelijke vluchtelingen en kinderen hielp.

Ik vertelde hun over het probleem dat vrouwen hebben wanneer ze brandhout in de buurt van het kamp gaan zoeken, en ze wilden daar zo veel mogelijk vrouwen en meisjes over interviewen, en ook over het gebrek aan scholing voor de kinderen in vluchtelingenkampen. We bezochten tien kampen. Ze gingen terug naar de Verenigde Staten en vertelden hun verhalen aan het Congres, het ministerie van Buitenlandse Zaken en aan de Verenigde Naties, om om geld te vragen en voor gewapende bewaking te zorgen om met de vrouwen mee te gaan. Dat gebeurde op een gegeven moment ook, dankzij vele anderen die hier ook voor pleitten. Er wordt nooit genoeg hulp gestuurd om de problemen van arme mensen op te lossen, maar aan deze inspanning hebben veel vrouwen in een aantal kampen daadwerkelijk iets gehad. Het gaf mij ook het gevoel dat ik iets kon doen.

Vertellen wat we allemaal gedaan hebben is niet genoeg: ik wil u meenemen naar een paar van die tenten. Hier zit een vrouw in een kleine tent van houten stokken en wit plastic, die daar met haar vier jonge kinderen woont. Haar man en twee andere kinderen zijn gedood toen haar dorp werd aangevallen. De kinderen die het overleefd hebben, gaan vaak met honger naar bed omdat het maandelijkse voedselrantsoen van de VN niet toereikend is. En toch verkoopt ze altijd wat van de gerst op de dichtstbij gelegen markt, zodat ze voedzame dingen als melk, vlees en groenten kan kopen. Ze doet heel erg haar best, maar je kunt zien dat haar kinderen donkeroranje plekken in hun haar hebben, een teken van ondervoeding. Ze heeft niet genoeg dekens voor de koude nachten, alleen twee dunne, kriebelige dekens waar niemand het warm onder krijgt. In het plastic zit een groot gat waar het water doorheen stroomt als het regent, ondanks haar pogingen om het met twijgjes dicht te maken. En ze moet haar kinderen natuurlijk alleen laten als ze brandhout gaat zoeken.

In een andere tent zitten drie jonge meisjes die ook brandhout moeten zoeken. De oudste is veertien. De jongste is een jaar of negen en draagt een stoffige zwarte sjaal die haar hoofd als een capuchon bedekt, om haar gezicht te verbergen. Ze kijkt nooit op en het lijkt wel alsof ze het liefst in het zand wil verdwijnen. Ze zijn heel vaak verkracht, maar ze moeten weer snel op pad om nog meer brandhout te zoeken. Ze huilen als ze erover praten.

Dit soort verhalen hoorden we van honderden vrouwen en meisjes. De rijke landen of de VN zouden misschien wel brandstof met het eten mee kunnen sturen, of de vluchtelingen kunnen helpen om een efficiënte oven te bouwen, maar dat gebeurde niet.

Lori en Megan sliepen elke avond in een tent. Ze werden zo verdrietig van dit alles dat ik op een avond naar een marktkraampje ging en wat bier voor ons kocht. Door het weer waren de flessen koel. Ik wist dat je je hawalya's op de been moest zien te houden, en ik leerde hoe je dat deed. Je moet een manier zien te vinden om elke dag even te lachen, ondanks alles, anders raakte de vreugde in je hart gewoonweg op, terwijl dat juist de brandstof ervoor is.

Dit lukte me niet altijd. Een Franse verslaggeefster, een heel goede, was zo aangeslagen toen ze de lijkjes van kinderen na een aanval zag dat ik haar niet kon troosten. Ze had zelf kinderen en kon geen woord meer uitbrengen, en ook niet eten of drinken. Ze kon alleen nog maar huilen om deze kinderen. De aanblik en geur van de dood kan ik hier niet goed weergeven, en ik zou het ook niet willen; ik wil er alleen nog over zeggen dat sommige mensen nadat ze die hebben meegemaakt een paar dagen het ziekenhuis in moeten.

Later stuurden Megan en Lori me boeken, waaronder een Engels-Arabisch woordenboek dat ik nog steeds heb. Ze stuurden me die dingen niet omdat ik een slechte tolk was, maar omdat ik hun had verteld dat ik veel beter Engels wilde leren. Ze belden me soms op mijn mobiele nummer om te vragen hoe het met mijn familie was en met mijn vermiste zus en haar gezin. Ze hadden mij geïnterviewd, net zoals ik heel veel mensen had geïnterviewd, en het was fijn om mensen te kennen die wilden luisteren en die nog steeds het vermogen hadden om woedend te worden en mee te leven.

Megan en Lori waren vooral heel bang dat ik teruggestuurd en doodgeschoten zou worden voordat het hun ter ore zou komen en ze me te hulp konden komen. We waren goed bevriend geraakt. Het was voor mij een leuke gedachte dat ik twee vriendinnen in New York had. Verbazingwekkend. En dr. John in Washington. En met elke nieuwe groep verslaggevers nog meer vrienden verspreid over de hele wereld.

Ik was bevriend geraakt met de juiste mensen van de regering van Tsjaad, die snel reisdocumenten voor verslaggevers konden regelen. In de openluchtcafés van Ndjamena en Abéché kocht ik biertjes voor deze ambtenaren. Ik wilde het zo gemakkelijk en veilig mogelijk maken, zodat er voor verslaggevers geen reden zou zijn om níét te komen. Als ze ambtenaren of militairen wel eens geld wilden geven om alles soepeler te laten verlopen, liet ik hen dat doen, maar ik nam niks voor mezelf aan. Daardoor had ik bij de overheid en de militairen een goede naam, want zij kregen namelijk alles. Dus als er een nieuwe verslaggever arriveerde, hielpen al die ambtenaren van Tsjaad me meteen. Ik hoopte dat deze vrienden zich ook zouden ontdoen van eventuele documenten die mij in de problemen zouden kunnen brengen.

Op een avond zei een vriend van me in een openluchtcafé dat de kans bestond dat ik als Soedanese spion in Tsjaad gearresteerd zou worden, zodat ik uitgeleverd kon worden in ruil voor een Tsjaadse spion die in Soedan vastzat. Ik vroeg of dit snel zou gebeuren, en hij vertelde me dat de dossiers over deze kwestie via de lange weg circuleerden, maar dat het niet eeuwig zou duren.

Mijn broer Ahmed had me met het prachtige voorbeeld van zijn eigen leven geleerd om gemakkelijk vrienden te maken, en op die manier hielp hij me nog steeds.

13
Een reportage van Nicholas Kristof en Ann Curry

In de zomer van 2006 kreeg ik een telefoontje uit New York. Nicholas Kristof van de *New York Times* en Ann Curry van NBC News, en haar crew, hadden mijn hulp nodig. Even later ontmoette ik hen in Abéché. Er werd op dat moment langs de grens zwaar gevochten, dus dit zou voor iedereen druk en moeilijk worden.

We gingen meteen naar de grensstad Adre, Tsjaad, met een konvooi van Land Cruisers. Adre ligt precies op de grens met Soedan, ten oosten van Abéché. Ann wilde een reportage maken over de gevechten vlak bij Adre, aangezien ze dan haar grote apparatuur aan de veilige Tsjaad-kant kon opstellen. Nick wilde langs de grens verder naar het zuiden reizen naar dorpen die in de aanvalslinie lagen.

Terwijl we ons plan trokken, merkte ik dat Ann en Nick heel bewonderenswaardige mensen waren. Zij was heel beleefd, maar stelde meer vragen dan welke verslaggever ik tot dan toe ook had ontmoet. Nick zag eruit als een man die in de problemen kon komen. Dus met hem ging ik mee.

Hij wilde eerst langs de Wadi Kaya reizen, de grote kloof die Darfur en Tsjaad van elkaar scheidt en die op de meeste plaatsen in handen is van de Janjaweed. Nick had een cameraman en een assistente bij zich, en we hadden natuurlijk een chauffeur. Soms moesten we een eindje de wadi in rijden, omdat we de kampen van de Janjaweed zo dicht bij ons zagen dat we naar hen konden zwaaien. Dat deden we natuurlijk niet; we reden gewoon snel door. We hadden een heel goede chauffeur. De wadi stond vol mango- en sinaasappelbomen, en er lagen een heleboel groentetuintjes van de dorpsbewoners die daar tot voor kort hadden gewoond. Het fruit viel op de grond.

Na acht zware uren kwamen we aan bij het dorp dat Nick het liefst wilde zien. De omringende dorpen waren of werden op dat moment aangevallen. Nick en zijn medewerkers bedankten me dat ik ze naar het dorp had gebracht. Er waren geen echte wegen zoals u die kent, dus ze konden niet geloven dat we de plek gevonden hadden en er veilig en wel waren aangekomen. Maar ik dacht alleen maar dat ze zo meteen misschien wel helemaal niet meer dankbaar zouden zijn.

De sjeik van het dorp zei dat hij die avond een aanval verwachtte. Ik vroeg me af of deze nieuwsmensen wel echt begrepen dat ze aan een perskaart van de *New York Times* niks hadden, tenzij het een kogelvrije perskaart was. Nick deed nonchalant toen ik hem vertelde dat we niet te veel moesten uitpakken en ons bed niet te ver van de Land Cruiser moesten neerzetten. Hij deed zo luchtig dat het wel leek of hij nooit iets anders deed dan in dorpen overnachten die elk moment aangevallen konden worden.

In de verte hoorden we schoten. De sjeik waarschuwde me dat tussen de bomen rondom het dorp waarschijnlijk Janjaweed verscholen zaten die ons in de gaten hielden. Van daaraf waren al eerder schoten gelost.

Dat had ik tegen Nick moeten zeggen, maar ik wilde niet dat hij weer naar me zou glimlachen met zo'n gezicht alsof ik me onnodig zorgen maakte. Bovendien konden we toch niks doen, behalve paraat zijn om elk moment te kunnen vertrekken, en dat was mijn taak, niet de zijne.

Het drietal rolde zijn slaapzakken uit, terwijl de chauffeur en ik met de sjeik praatten. De Amerikanen hadden een hoofdband om met een lampje erop, zodat ze hun slaapzakken goed konden neerleggen. De sjeik wees weer naar de bomen van de wadi en zei dat ik iets over die lampjes moest zeggen; hij zei dat ze daarmee aangaven: 'Schiet me alsjeblieft in mijn hoofd.' Misschien had ik er iets over moeten zeggen tegen Nick, maar ik dacht dat ze toch zo klaar waren en gingen liggen, en dat was ook zo.

In dit soort situaties, waarvan deze niet de eerste was, bleef ik liever wakker. De chauffeur en ik spraken zacht met elkaar en aten sardientjes uit blik. Midden in de nacht kwamen de automatische geweren en RPG-salvo's wel heel dichtbij en ze maakten de slapende kampeerders wakker, die zo te merken bang waren.

Ik keek Nick aan met een blik van: 'Wat maak je je toch altijd een zorgen.' Ik zei dat ze weer moesten gaan slapen, dat de gevechten nog twee dorpen verderop waren. Toch bleven de chauffeur en ik wakker en telden de seconden tussen de RPG-flitsen en de knallen.

De volgende ochtend leefden we nog. Na de thee reden we naar het volgende dorp, dat 's nachts was aangevallen, maar zich had verdedigd en nog overeind stond.

Een van de aanvallers was gevangengenomen en behoorlijk afgeranseld. Hij was een jaar of veertien. Een andere aanvaller was in zijn rug geschoten en lag meer dood dan levend op het zand aan de rand van de bomen. Hij was bijna doodgebloed. Ook hij was een jaar of veertien. Het waren Arabische Janjaweed-jongens. We spraken met de jongen die in elkaar geslagen was. Ik tolkte.

'Waarom hebben jullie dit dorp aangevallen?'

'We komen uit een dorp verderop. We zijn altijd met de mensen van dit dorp bevriend geweest.'

'Maar waarom hebben jullie het dan aangevallen?'

'De regeringssoldaten hebben tegen ons gezegd dat deze mensen onze dorpen zouden gaan aanvallen en onze familie zouden vermoorden als wij hen niet als eersten aanvielen. Ze zouden ons geld geven als we het deden.' Het ging om het equivalent van ongeveer tweehonderd dollar, wat veel geld was, als het ooit daadwerkelijk betaald is.

'Onze families hadden het geld nodig en wij moesten hen beschermen.'

Zo ging het dus in zijn werk. We lieten de in elkaar geslagen jongen achter bij de dorpsbewoners. Ze zouden waarschijnlijk geen medelijden met hem hebben. Hij was veertien, zoals gezegd.

Van daaruit reden we diep Darfur in. Er werd zwaar gevochten en onderweg naar de gevechten passeerden we duizenden vluchtende vrouwen en kinderen.

'Jullie zijn gek!' riepen de mensen tegen ons. 'De Janjaweed zitten overal. Jullie moeten omkeren!' Ik had Nick moeten vertellen wat ze zeiden, maar ik dacht dat hij het wel begreep; hun angstige gezichten en gebaren behoefden geen vertaling. Op de een of andere manier was ik zelf niet bang. Een rebel, een regeringssoldaat of een Janjaweed heeft het gevoel dat hij al dood is en dus net zo goed kan doen wat hij moet doen, en zo voelde ik me ook. Maar ik maakte me zorgen om Nick en de cameraman, om de assistente van Nick en om onze chauffeur. Omwille van hen moest ik al mijn slimheid aanwenden en zorgen dat zij niet gedood werden.

We kwamen bij een leegstaand ziekenhuis van een NGO. Daarachter lag een grasveld waarover mensen naar ons toe renden. Een dorp even verderop tussen de bomen lag onder vuur en ze renden in paniek langs ons heen, maar bleven vreemd genoeg even staan om er bij ons op aan te dringen samen met hen te vluchten. Naast het ziekenhuis lagen, onder schermen van zeildoek voor schaduw, mensen die bij een eerdere aanval gewond waren geraakt en die daar waren achtergelaten toen iedereen het ziekenhuis vlak daarvoor verlaten had. Sommige vluchtende mensen waren gewond of hielden een gewond kind in hun armen. Ze riepen om medische hulp die er niet meer was. De zwaarst gewonden zaten of lagen gewoon om het ziekenhuis heen; sommige mensen schreeuwden of kreunden van de pijn of de wanhoop en wachtten tot ze aan hun verwondingen zouden bezwijken of door de naderende Janjaweed gedood zouden worden. Toch keken ze ons aan en voelden zich bezorgd om ons en zeiden dat we de benen moesten nemen nu het nog kon.

Nick Kristof haalde natuurlijk zijn opschrijfboekje tevoorschijn en begon deze mensen doodkalm te interviewen. Waanzin is het werk en de werkwijze van een oorlogsverslaggever. Ik haalde diep adem en knielde neer om te tolken. 'Deze man is door iemand neergeschoten met wie hij al heel lang bevriend was en die zijn buurman was. Het was een Arabische man die opdracht had gekregen het wapen van deze man op te halen. Toen hij weigerde, schoot zijn vriend hem neer.'

De geweerschoten en het geschreeuw kwamen met de seconde dichterbij. 'Nick, we moeten nu echt weg,' zei ik om de paar zinnen die ik tolkte.

'Nog een paar vragen,' antwoordde hij, en hij stuiterde van de ene gewonde naar de andere. Ik zag dat zich tussen de bomen een paar Janjaweed verzamelden, in afwachting van het moment dat de rest er was, waarna ze het veld op zouden stormen.

'Een uitstekend ogenblik om te vertrekken,' zei ik weer.

'Eentje nog,' zei Nick, terwijl hij een bladzijde van zijn opschrijfboekje omsloeg om ruimte te maken voor het volgende interview.

Oké, zei ik bij mezelf, dit is mijn werk. Terwijl de vogels uit de bomen rondom ons opvlogen, tolkte ik.

De laatste man die hij interviewde was niet gewond, maar zat er met zijn twee kleine kinderen ineengedoken bij. Hij zei dat hij daar zat te wachten in de hoop dat zijn vrouw en zijn andere kind nog in leven waren. Ze was daarginder gevallen. Een andere man was naar haar toe gerend om te helpen, maar hij was ook gevallen.

'Laten we ernaartoe gaan,' zei Nick tegen me.

Oké. Dit is mijn werk. We kropen door het gras naar de vrouw toe. Ze was dood. De man die naar haar toe was gegaan om haar te helpen was dood. Het was verschrikkelijk om ze van zo dichtbij te zien.

Nick zei dat we misschien maar moesten gaan. Wat maakte hij zich toch altijd een zorgen.

Terwijl we op onze hurken snel langs de arme wachtende echtgenoot liepen, zeiden we tegen hem dat hij nu moest weggaan, dat zijn vrouw en kind niet meer te redden waren.

Na nog één blik op deze vriendelijke, maar ten dode opgeschreven mensen renden we zigzaggend naar de Land Cruiser toe, terwijl we tegen de cameraman en de assistente riepen dat ze door de open portieren naar binnen moesten springen en we de geweerschoten al op het open veld hoorden. We scheurden van het veld weg. Een kind dat in het gras zat hield op met huilen en zwaaide ons na.

We reden door heel diep zand, zodat de wielen soms doldraaiden. 'Rijd zo goed je kunt,' zei ik tegen de chauffeur. Zelfs voor één verkeerde schakeling was geen ruimte. We kwamen een paar seconden vast te zitten, maar hij hield zijn hoofd erbij en wist ons eruit te krijgen. Hij was te zenuwachtig om te rijden, maar hij zat nu eenmaal aan het stuur.

We reden door een dicht oerwoud, waar de Janjaweed met hun families woonden. Hier zouden ze als het even kon niet vechten. En hier kwamen we helemaal vast te zitten. De jonge Arabische kinderen, hooguit een jaar of twee te jong om al mee te vechten, kwamen naar ons toe gerend.

Zoals Thoreau al heeft gezegd: als een hond naar je toe rent, moet je fluiten. Ik sprong uit het voertuig en riep tegen de jongens dat ze sneller moesten rennen, sneller! En dat ze moesten helpen! 'Ik ben jullie oom. Help ons met deze auto te duwen!' Ze kwamen met een hele horde aanzetten en hielpen ons. Ik wist dat hun broers en vaders er elk moment aan konden komen. *Puf, puf, puf,* en we waren los en reden pijlsnel in de richting van Tsjaad.

We kwamen aan in Adre, allemaal gespannen en moe. Ann en Nick vertelden wat ze hadden meegemaakt. Ik haalde een fles Johnnie Walker tevoorschijn, want dat hoort erbij na zo'n dag. Ik keek veel naar hen terwijl ze zo zaten te praten. Anders dan wij hoefden deze mensen hier niet te zijn. Op deze mensen, zei ik tegen mezelf, terwijl de dag uit mijn hart spoelde en ik dacht aan het kind dat ons vanuit het gras had uitgezwaaid.

14
Voor de tweede keer thuis

U hebt al kennisgemaakt met nieuwsfilmer Philip Cox, die er door een aanvoerder te bellen voor zorgde dat mijn kop er niet af geschoten werd. Philip was al eerder in Darfur geweest en kende de gevaren heel goed.

Hij wist precies wat hij wilde: zo'n auto, zo'n chauffeur, dit en dat om als eten mee te nemen, en flessen whisky, een paar voor ons en een paar voor de soldaten die hij wilde interviewen.

Philip wilde zien waar ik was opgegroeid, waar mijn dorp in lichterlaaie was gezet en waar Ahmed begraven lag. Dus gingen we erheen, ondanks alle gevaren.

Nadat hij ervoor gezorgd had dat ik niet doodgeschoten werd, gingen we naar een plek in Darfur waarvan ik tegen hem had gezegd dat ik er naartoe wilde. Het was een van de in de as gelegde dorpen uit mijn dromen, het dorp waar de man aan de boom vastgebonden had gezeten en zijn dochtertje door de Janjaweed met zijn bajonet was gedood. Ik vond de boom die het volgens mij geweest moest zijn, en de plek. Dat wilde ik gewoon doen: een gebed voor haar opzeggen. Na al die dromen had ik het gevoel dat ik haar een beetje kende en haar mijn eer moest betuigen. Ik wilde kijken of er botjes lagen die begraven moesten worden, maar die lagen er niet. Elke keer dat ik in de buurt was zou ik deze plek bezoeken.

Vervolgens gingen we naar het noorden, door Tsjaad, en trokken toen helemaal in het noorden Darfur weer in. Het was een heel eind naar mijn dorp. De hele dag hielden we de lucht in de gaten in de hoop geen helikopter of rookpluim te zien die zou betekenen dat er een dorp werd aangevallen of dat er gevochten werd. Toen we in de verte het stof van een paar trucks zagen, bleven we staan en lieten ze in een luchtspiegeling verdwijnen. Ik pleegde een paar telefoontjes aan rebellengroepen en kreeg te horen dat we onze ogen goed open moesten houden, want dat er zich in dit gebied narigheid kon voordoen.

We reden door de ooit zo mooie stad Furawiya. Voordat alles was aangevallen en in puin gelegd, hadden hier en in de omringende dorpen iets van dertienduizend mensen gewoond. Deze stad in Noord-Darfur kon zo uit een plaatjesboek komen, met grote bomen langs de rivier en bergen aan weerskanten van het zanderige dal waarin de stad lag. De verwoesting was verschrikkelijk geweest. Dorpsbewoners die tegen een heuvel op wegvluchtten waren vanuit helikopters met machinegeweren doodgeschoten. Philip en ik zagen dat de heuvel nog steeds bezaaid lag met minstens vijfendertig lijken, waaronder heel veel kinderen.

Op het zand langs de wadi waar ooit de wat grotere marktstad in de buurt van mijn dorp had gelegen, gingen we wat langzamer rijden. Neem me niet kwalijk dat ik de namen van deze dorpen niet vermeld, maar dat doe ik om de mensen die zich nog steeds in deze gebieden verstopt houden niet nog meer narigheid te bezorgen.

In de wadi floten geen vogels, heel anders dan ik het me van vroeger herinnerde. Er heerste een diepe spookachtige stilte. We kwamen aan op de plek van het oude dorp en zagen daar een paar rondtrekkende rebellen onder de bomen zitten uitrusten, en nog anderen die altijd in dit gebied hadden gewoond en die ik herkende.

Ik liet Philip zien waar het huis van de sjeik had gestaan, nu een zwarte plek in het zand met de restanten van een paar kamers met lemen muren. Door de hele wadi waren nog meer zwarte plekken te zien. Een paar van de grootste bomen waren afgebrand, maar de nieuwere bomen waren groen en zullen op een dag misschien weer schaduw geven voor het dorpsleven hier.

Philip interviewde wat rebellen. Een paar mensen die op geheime plekken in de bergdalen hadden gewoond en die die dag in het dorp waren om van de rebellen te horen wat er gaande was, hadden nieuws voor me: mijn zus Aysha en mijn vader waren in de buurt en hadden gehoord dat ik er ook was.

Mijn vader, die inmiddels heel oud was, liep nog steeds grote afstanden en zorgde voor de dieren. Ik had contact met hem gehouden. Mijn moeder had zich ergens in een verscholen droge rivierbedding gevestigd en zocht manieren om wat gierst te planten, zoals alle vrouwen doen. Ik wist niet zeker of mijn vader gezond genoeg was om haar vaak te bezoeken, aangezien hij met de dieren rondtrok op zoek naar gras en zich onzichtbaar moest houden voor de Janjaweed en de regeringssoldaten met hun vliegtuigen. Maar hij had vast wat dieren bij haar achtergelaten voor melk, en misschien wat kippen voor de eieren.

Ik zag hem voor hij mij zag. Hij had een spierwitte djellaba aan en een wit mutsje op, allemaal gevaarlijk goed zichtbaar, maar heel traditioneel. Hij liep krommer dan de vorige keer dat ik hem had gezien, en hij was wat kleiner, van zijn grote sterke lichaam van vroeger was bijna niks meer over. Hij stond met een paar andere oude mannen te praten en gebaarde met één magere arm.

Toen ik dichterbij kwam, draaide hij zich naar me om. Zijn ogen waren melkachtig en ik begreep wel dat hij bijna niks meer zag, maar hij herkende mijn tred of voelde op de een of andere manier dat ik het was. We omhelsden elkaar liefdevol. Hij voelde mager en kwetsbaar aan, maar hield me wel heel stevig vast. Het was moeilijk om hem los te laten.

'Vader,' zei ik.

'Daoud, we hebben veel over je gehoord. Wat fijn te zien dat je in leven bent. Je hebt gisteren problemen gehad met wat rebellen.'

Zo gaat dat in Darfur: het nieuws reist het snelst als je denkt dat er helemaal geen manier is waarop het kan reizen.

'Drink wat thee met ons,' zei mijn vader, en hij ging me voor naar een tent. We gingen bij de andere mannen zitten, allemaal ooms en neven die ik al jaren niet had gezien.

Even later werd de tentflap opengeduwd en kwam Aysha binnen in wapperend helgroen, met twee kinderen aan de hand. Toen ze me zag, lachte ze en daarna glimlachte ze alleen maar en deed ze haar ogen dicht om van dit moment te genieten.

'Daoud, de stadsman is er!' zei ze. 'Je bewijst ons eenvoudige dorpelingen een grote eer.' Iedereen moest lachen. Aysha is van al mijn zussen de grappigste.

De tent zat al snel vol met neven en nichten die me wilden begroeten. Het was heerlijk om allemaal familie om me heen te hebben en om te praten en te lachen alsof onze wereld weer ongeschonden was, om de hand van mijn vader stevig vast te houden, te weten dat mijn moeder in leven was en niet ver weg, me voor te stellen dat Ahmed buiten de kamelen water aan het geven was. Toch bevatte deze kleine tent nu alles wat er over was van het ooit zo grote dal met onze dorpen. Deze dierbare wereld was bijna ten onder, maar hier zag je er nog de resten van. We aten heerlijk; Aysha had dampende schalen met lekker gekruid geitenvlees voor iedereen binnengebracht. Philip zat erbij als een lid van de familie. Door hem zaten we hier nu, dus waarom zou hij mijn broer dan niet zijn?

Hoe komt het dat degene die van ver komt altijd de wijze deskundige is? Dat was de enige reden waarom ik geraadpleegd werd inzake het probleem van die dag: een jong meisje weigerde met een oudere man te trouwen, zoals voor haar geregeld was, en ze had geprobeerd zichzelf te vergiftigen. Ik zei dat dit meisje niet gedwongen moest worden met de man te trouwen en dat ze zou proberen zelfmoord te plegen als het toch moest. De mannen knikten instemmend. De oude gewoonten moesten misschien een beetje aangepast worden, maar Julia zou vrij zijn om met de man te trouwen van wie ze echt hield.

Die nacht sliep ik voor het eerst in al die jaren sinds de aanval weer eens diep. Het was 2005 en de aanval was in 2003 geweest – dat is een heel lange tijd om slecht te slapen.

Toch werd ik wakker en ging even in het maanlicht staan, niet vanwege de nachtmerries, maar vanwege de heerlijke rust van deze plek, die als de geuren van gekruide thee en munt in mijn slaap tot mij gekomen was. In het maanlicht zagen de zandvlakten er net zo uit als toen ik klein was en tot 's avonds laat Anashel en Whee speelde met kinderen uit de buurt. Er zullen zandstormen komen en deze as binnen een paar jaar bedekken, en dan weet niemand meer dat hier liefhebbende mensen hebben gewoond en dat de berg in het licht van de maan, koel en zwijgend, het Dorp van God genoemd wordt en dat al onze hoop voor ons volk daarop gevestigd is.

Ik zou u graag willen vertellen dat Philip, onze chauffeur en ik veilig terug zijn gereisd naar Abéché, maar zo ging het niet echt. Het was heel belangrijk dat we voor het donker Soedan uit waren, en omdat ik de chauffeur zei dat hij daar of daar moest afslaan, bij die boom of aan het eind van die wadi, wist hij nooit zeker of we nou veilig in Tsjaad waren of weer terug in het gevaarlijke Soedan. 'Soedan? Tjsaad? Soedan?' riep de chauffeur voortdurend naar mij op de achterbank, terwijl hij zijn handen in de lucht stak om te benadrukken wat hij bedoelde. Philip vond dat ontzettend grappig. De man wilde gewoon niet die avond doodgeschoten worden. En het wás na een tijdje ook echt grappig. Als je een tijd met Engelsen omgaat, beginnen vreemde dingen grappig te lijken. Toen de zon onderging, begon de chauffeur steeds sneller te rijden. Dat is niet zo verstandig als het donker wordt en er geen wegen zijn. Ik boog me naar voren om te zeggen dat hij langzamer moest rijden, maar ik was net te laat; we kwamen in een kuil, tolden rond en maakten een enorme klap. Philip zat voorin met zijn autogordel om en was niet gewond. De chauffeur was geschrokken, maar mankeerde niks. Ik zat achterin zonder autogordel en ik boog me op dat moment net naar voren, dus ik vloog tegen de chauffeur aan en brak mijn neus, die vreselijk bloedde toen we allemaal uit het wrak klauterden. We bevonden ons op een slechte weg aan de Soedanese kant en het enige wat Philip deed was naar mijn neus wijzen en lachen. De chauffeur moest er op een gegeven moment ook om lachen. We liepen hinkend Abéché in en Philip betaalde de chauffeur met contant geld voor zijn auto. Toen gingen we naar een van de cafés van Abéché, waar het wemelt van de vliegen en de zwartemarkthandelaren. Een paar drankjes later ging het al een stuk beter met de pijn in mijn neus en nek.

We hadden het alleen over de vrolijke momenten van de reis: dat we mijn familie hadden gezien natuurlijk, en over de keer in Furawiya toen Philip van dichtbij een niet-geëxplodeerde bom van tweehonderdvijftig kilo in het zand van de wadi wilde filmen. Op de een of andere manier struikelde hij en viel languit op de bom. Met zijn armen en benen wijd lag hij zich daar een hele tijd af te vragen of wat hij hierna ging doen wel zo verstandig was. Ik keek naar hem en dacht: nou, de Engelsen zouden erom lachen, dus lachte ik ook maar. Hij vroeg fluisterend of ik hem alsjeblieft heel voorzichtig wilde helpen op te staan, en dat deed ik maar al te graag, want dit moment lag zonder meer in Gods handen.

'Als ík op die bom was gevallen, had jij ook gelachen,' zei ik in het café in Abéché tegen hem.

'Als jíj op de bom was gevallen was het grappig geweest,' legde hij uit.

De volgende dag vertrok zijn vliegtuig en ik wachtte op de volgende verslaggevers die bereid waren Darfur te trotseren.

Ik kreeg al snel een telefoontje van de BBC. De BBC is in de hele wereld belangrijk, maar als je als een arm kind in Afrika opgroeit, en al helemaal als je in een voormalige Britse kolonie opgroeit, is de BBC héél belangrijk. Ze hadden mijn hulp nodig. De BBC. De BBC! Ongelooflijk. Ik ging naar Ndjamena om hen te ontmoeten. Eerst was er wel nog een probleempje, want de haat-liefdeverhouding tussen Tsjaad en Soedan was weer veranderd en de rebellen die door de regering van Soedan werden gesteund vielen plotseling Ndjamena in Tsjaad aan. In die stad werd ik wakker van de RPG's die op straat voor mijn kamertje ontploften. Zelfs op een normale ochtend heb je in die stad geen wekker nodig, maar deze ochtend al helemaal niet.

15
Wakker worden in Ndjamena

Ndjamena, een stad met ongeveer driekwart miljoen inwoners, mag dan de hoofdstad van Tsjaad zijn, hij ligt precies op de grens met Kameroen, alsof hij wacht op het juiste moment om de rivier over te steken en aan zijn eigen armoede te ontsnappen.

In Ndjamena word je wakker van de hitte. Ook de kinderen die voor je deur spelen wekken je. Ik had een kleine kamer genomen in een laag gebouw met lemen muren waar acht families woonden, dus ik kan erover meepraten. Mannen en jongens op kamelen, die door de smerige straten naar de markt rijden en van kameel naar kameel schreeuwen, maken je ook wakker, hoewel het niet vervelend is om dat bij het wakker worden te horen, want het Frans en Arabisch van Ndjamena vermengen zich op een heel muzikale manier met elkaar. Je wordt ook wakker van de kleine aftandse brommertjes, waarvan je de uitlaatgassen kunt ruiken. De oude dieselmotoren van de gele Peugeot-taxi's beginnen hun dagelijkse jacht door de onverharde straten en hun geronk en uitlaatgassen komen ook je kamer in. Veel vrouwen uit deze stad lopen naar de rivier om de kleren van het gezin te wassen; ze praten en lachen als ze langs je raam lopen. En misschien krijg je een telefoontje van vrienden die willen weten wat je die dag gaat doen.

Normaal gesproken zag ik als ik mijn ogen opendeed mijn elektrische ventilator ronddraaien, die ik op de kleine op gas lopende generator had aangesloten, die voor mijn deur stond te tsjilpen. Iedereen heeft zo'n generator. Tsjaad bezit heel veel olie en heel veel oliegeld, maar op de een of andere manier krijgen de mensen maar een paar uur elektriciteit per week.

Op een gewone ochtend vliegen Franse gevechtsvliegtuigen vanaf hun basis op de luchthaven laag en snel over de stad. Dat is voor het geval je toch nog lui bent en gewekt moet worden.

Het land buiten de stad bestaat uit een vlakke woestijn met een heel enkel stukje dat begroeid is met acacia, jujube, hoge palmbomen en in de regentijd in de zomer met wat groen gras. Verder is alles bruin, behalve langs de rivier, waar de vrouwen hun kleurige kleren op de oevers te drogen leggen nadat ze ze in de helderste stroom hebben gewassen. Ndjamena is een kruispunt van handelsroutes, dus overal zie je kamelen, schapen en geiten. Sommige families verbouwen katoen aan de rivier. Andere gaan vissen in de rivieren de Chari en de Logone en in het Tsjaadmeer, ooit het op twee na grootste meer van Afrika, hoewel dat snel opdroogt. Op de markt in de stad worden tilapia, salanga en meerval verkocht en door de vrouwen in openluchtcafés gefrituurd. Van alle rokerige geuren in Ndjamena is dat de lekkerste.

De meeste vrouwen dragen lange, kleurrijke kleren, een paar van hen tooien zich met dunne, wapperende sluiers. De mannen dragen een losse tulband of linnen pet. Sommigen dragen traditionele witte gewaden, djellaba's, maar de meesten kleden zich westers met een lichtbruin hemd en lichte broek. De meeste mensen zijn lang, zoals ik – ik ben een meter vijfentachtig – en ook mager, door al dat lopen, het harde werken en de voeding, een van de voordelen van armoede.

Je kunt door een onverharde straat in Ndjamena lopen, met

oude woningen naast je, en dampende kraampjes waar sterk gekruide kebablunches worden verkocht, voor de enige maaltijd die je die dag krijgt, en dan sta je plotseling voor de deur van een luxueus viersterrenhotel. Tsjaad heeft oliebronnen, dus er zijn een paar chique hotels voor de rijken die hier komen om snel het geld weg te halen, voordat het de charme van onze uit modder en stro opgebouwde stadjes bederft. Ik dacht dat ik de BBC wel in een van deze hotels zou treffen, maar werd op een vreemde manier wakker en had ook een vreemde dag.

Om een uur of halfvier in de ochtend begon de ellende met verschrikkelijk harde RPG-explosies, mortiergeschut en machinegeweerschoten. De rebellen, die niets anders waren dan het instrument van de regering van Soedan, kwamen uit het oosten, het zuiden en het noorden binnengevallen. Boven de inval hingen helikopters van het leger van Tsjaad, die probeerden om niet daar te schieten waar burgers geraakt konden worden.

Om ongeveer halfzes kon ik er niet langer tegen en ging ik naar buiten. Als ik toch moest sterven, wilde ik niet door een verdwaalde kogel op mijn matras getroffen worden. Dan wilde ik in elk geval op straat staan en het allemaal kunnen zien.

Land Cruisers van het leger van Tsjaad scheurden alle kanten op en de aftandse trucks van de rebellen ook. Jonge rebellensoldaten, nog geen veertien jaar oud, sprongen waar ze maar konden de trucks uit en renden de huizen in, waar ze smeekten om gewone kleren, zodat ze zich tussen de burgers konden schuilhouden. Ze waren tegen hun wil tot soldaat gemaakt, gedrogeerd en het strijdperk in gestuurd. Maar sommigen van hen waren zo slim dat ze probeerden er op deze manier onderuit te komen, en iedereen wilde hen helpen.

Deze trucks vol kinderen werden door RPG-salvo's geraakt; de straten vulden zich met de doden en gewonden. Ik liep naar het huis van een vriend even verderop. Er kwamen trucks vol schietende mannen voorbij, maar ze schoten niet op mij. Als je pech had kon je natuurlijk geraakt worden, maar verder vochten de soldaten alleen tegen elkaar en niet tegen de mensen.

Mijn vriend kent veel mensen in het leger van Tsjaad en zij begonnen hem op zijn mobiele telefoon te bellen. Op dit adres lag een gewonde, en ergens anders lag er nog een. Kon hij hun een lift naar het ziekenhuis geven? En dus reden wij, zoals zoveel vriendengroepen, als bezetenen de stad rond, ontweken kogels en brachten mensen naar de ziekenhuizen, die al snel vol raakten, maar waar men toch zijn uiterste best deed om zo veel mogelijk mensen te helpen. Tegen het middaguur waren alle rebellen gedood, gevangengenomen of gevlucht. Ongeveer tweehonderdvijftig jonge soldaten waren gepakt, en ik hoop maar dat ze daarna naar school gestuurd zijn en niet zijn doodgeschoten.

In de twee ziekenhuizen lagen ongeveer vierhonderd gewonde soldaten. 's Avonds bracht president Déby, die een Zaghawa is, een bezoek aan het ziekenhuis. Er werd zo hard geschreeuwd en er stroomde zoveel bloed dat het geluid en de geur voor iedereen ondraaglijk waren, behalve voor de allermoedigste artsen en verpleegkundigen. Iedereen ging kijken hoe het met zijn vrienden was. Er waren veel mensen dood, maar na twee of drie dagen vonden de bewoners weer de weg naar de markt en de openluchtcafés om alles te bespreken.

Megan belde me uit New York, Philip uit Londen, en verder nog mensen uit de hele wereld. Ja, ik maak het goed.

De BBC-ploeg arriveerde net op tijd om een groot aantal van de gevangenen te kunnen interviewen en te kunnen zien hoe de stad zich herstelde.

16
Een vreemd bos

Nadat de BBC-mensen verslag hadden uitgebracht van wat er in Ndjamena was gebeurd, wilden ze naar de kampen en daarna Darfur in.

Ze hadden enorme camera's bij zich en meer kisten met apparatuur dan mij voor welk land ook nodig leek. Ze zouden naar Abéché vliegen en ik zou hun apparatuur met de auto meenemen. Ik was bang dat struikrovers, die in kleine groepen rondtrokken, al die peperdure camera's, lenzen, geluidsapparatuur en microfoons zouden stelen. Dus zorgde ik er goed voor dat ik de tijden waarop ik reisde en de route die ik nam geheimhield. Ik vroeg de passagiers op een truck die uit Ndjamena vertrok of ze de kisten onder hun stoel wilden zetten, alsof het hun eigen bagage was, en voor een paar dollar per persoon deden ze dat maar al te graag.

Nadat we in de steeds verder uitdijende kampen mensen hadden geïnterviewd en ik bij de militaire aanvoerders de bekende informatie had ingewonnen, staken we de grens over. U denkt misschien dat de meeste mensen van Darfur hetzij in de kampen in Tsjaad woonden, hetzij dood waren, maar u moet bedenken hoe groot Darfur is, en hoeveel dorpen er in elk deel verstopt liggen. Er vallen nog steeds een heleboel dorpen te verwoesten en mensen te doden, en dat geldt tot op de dag van vandaag. Overal kwamen we hele horden mensen tegen die op de vlucht waren.

Aan het rand van een bepaald dorp, in dichtbebost gebied, hadden de verdedigers van het dorp zich voor hun laatste positie hoog in de bomen met hun geweren verschanst. Ze waren allemaal doodgeschoten. Het was inmiddels drie dagen of langer geleden dat de mannen in de bomen gedood waren en op deze zinderende voorjaarsmiddag kwamen hun lichamen naar beneden. We liepen door een vreemde wereld waarin zo af en toe een arm of een been of een hoofd naar beneden viel. Vlak bij mij kwam een been op de grond. Een eindje verderop kwam een hoofd met een bons neer. Er hingen verschrikkelijke geuren in het bosje, als gifgas dat zelfs pijn doet aan je ogen. En toch was dit nog maar het begin van wat ons te wachten stond: eenentachtig mannen en jongens, over elkaar heen gevallen en tijdens diezelfde aanval doodgehakt of -gestoken.

Verslaggevers zijn ontzettend menslievend, echt geweldig, en ze moeten soms huilen als we door een zwaar getroffen gebied komen. Na een tijdje vallen hun tranen niet meer te verhullen. Soms knielen ze neer en buigen zich met hun hoofd in hun handen naar de grond. Ze bidden hardop en vinden altijd wel een handjevol aarde om op het lichaam van een kind te leggen, of ze vinden een doek om de gezichten van een jong omgebracht gezin mee te bedekken, gezichten waar de doodsangst nog op te lezen staat, met de mond en ogen nog wijd open. Ze helpen de lijken te begraven; tijdens de reis met de BBC-ploeg hebben we er vele begraven. Maar deze eenentachtig jongens en mannen waren voor iedereen te veel.

Als mensen dicht bij een lichaam komen dat al lang dood is, moeten ze vaak braken. Daar kun je niets aan doen, dat gebeurt gewoon. En bij het volgende lijk weer. Nog even en je hebt niks meer in je maag, maar toch zal je lichaam kokhalzen bij de aanblik en geur, en natuurlijk bij de tragedie van een leven dat zo bruut is weggerukt. Maar deze eenentachtig...

Sommige mensen van de BBC moesten terug naar Tsjaad, waar ze drie dagen in een ziekenhuis moesten worden opgenomen om te herstellen van wat ze hadden gezien, geroken en geleerd over de aard van wat wij gewoonweg het kwaad moeten noemen.

17
De zesde reis

Ik begon aan het ritme van mijn werk te wennen: ik werd gebeld door verslaggevers, ik won informatie in bij de aanvoerders in het veld, en dan vertrokken we. Mijn volgende verslaggever had me al maanden geleden vanuit New Mexico in de Verenigde Staten gebeld en stond nu op me te wachten.

Paul Salopek is een magere man van een jaar of drieënveertig. De eerste keer dat ik hem zou ontmoeten, liep ik het dure Le Meridien Hotel in Ndjamena in. In de deftige lobby staan diepe leunstoelen, liggen dikke tapijten en aan de muur hangt Afrikaanse kunst. De rivier die Tsjaad van Kameroen scheidt loopt achter het hotel langs en je kunt hem door de grote ramen heen zien.

In de drukke lobby hoorde Paul dat ik bij de receptie naar hem vroeg. Hij kwam naar me toe, stelde zich voor en we gingen in een rustig hoekje zitten om de reis door te spreken. Hij had maar een paar dagen de tijd om de vluchtelingenkampen te bezoeken, voor een artikel voor *National Geographic.* We besloten naar Abéché te vliegen, waar Paul een afspraak had met mensen van een NGO en waar ik naar de grote markt zou gaan om een auto en een chauffeur te zoeken.

De centrale markt van Abéché omvat duizenden kraampjes,

waarvan de zinken daken elkaar overlappen, zodat er zich in het midden van de stad één groot dak bevindt. Aan de zuidkant van deze enorme zinken wirwar staan een stuk of dertig gele taxi's klaar. Soms staan er ook witte Land Cruisers die ritten in allerlei richtingen aanbieden of die je kunt inhuren. Ik liep tussen deze voertuigen door op zoek naar een goede, met een intelligent uitziende chauffeur. Ik onderhandelde over de prijs en nadat we wat inkopen hadden gedaan, pikten we Paul op bij het NGO-kantoor. In een zware regenbui reden we naar de kampen, en door het diepe water in de wadi's schoot het niet erg op.

De meeste Land Cruisers hebben naast de voorruit een snorkelslang waardoor lucht bij de motor kan komen als het voertuig zich tot diep in het water bevindt. Als zo'n auto een rivier oversteekt, zie je soms alleen de snorkel en een stukje van het dak of de antenne boven het water uitsteken. Als je erin zit moet je de raampjes goed dichtdoen. Als je niet kunt zwemmen zul je 'm flink knijpen als het water de bovenkant van de raampjes haalt. De Land Cruisers die in Afrika gebruikt worden zijn groter en zwaarder dan de soorten die je elders ziet, en ze zijn soms al heel oud. Deze was wel oud, maar goed onderhouden. Paul maakte zich niet druk over het hoge water. Maar ik kan niet zwemmen, dus ik draai de raampjes altijd stevig dicht en help anderen die dat niet doen eraan herinneren dat dat wel moet.

Het is niet verstandig om als het donker is over deze wegen te rijden, voornamelijk omdat er geen wegen zijn, maar ook vanwege de struikrovers, leeuwen en andere dieren die 's nachts jagen. Dus zei ik tegen Paul dat we snel een dorp moesten zien te vinden. We hielden halt in een Zaghawa-dorp waarvan de sjeik een vriend van me is. Na een maaltijd van geitenvlees en brood gingen we naar buiten naar het erf. Het regende niet meer en de mensen van de sjeik hadden onze matrassen en dekens op droog plastic neergelegd. Ik viel in slaap terwijl ik naar de sterren keek. Dat is altijd de beste manier om in te slapen.

Ik droomde dat ik bij mijn oudste broer was, die in werkelijkheid twintig jaar ouder is dan ik en al dood is, verdronken in de Nijl, misschien door een krokodil. In mijn droom was ik op de een of andere manier in een grote wadi gevallen en worstelde ik om aan de overkant te komen en mijn hoofd boven water te houden. De dikke, modderige stroming sloeg strak als een touw om me heen en trok me weg bij de oever en bij mijn broer, die mijn naam riep en zijn lange bruine armen naar me uitstak. Ik vocht uit alle macht tegen het water, maar de handen van mijn broer raakten steeds verder bij me weg. Midden in de nacht werd ik wakker en ik merkte dat ik in het plastic grondzeil naast mijn matras greep. Ik moest een hele tijd naar de sterren kijken voor ik weer in slaap viel.

Bij zonsopgang werd ik wakker van het bekende krankzinnige koor van hongerige ezels, hanen, geiten en schapen, die allemaal stonden te popelen om aan de nieuwe dag te beginnen. Bij een ontbijt van zoete thee zei ik tegen Paul dat ik me zorgen maakte over het water op de weg door de zware regenval van gisteren en stelde ik voor om terug te gaan naar Abéché en te wachten tot de wadi's weer opgedroogd waren. Hij hielp me eraan herinneren dat hij maar een paar dagen had en dat hij zijn werk moest doen. Ik zei dat we zouden gaan, we bedankten de sjeik en zijn familie en vertrokken in de tsjirpende dageraad.

Al snel moesten we stoppen doordat in de wadi waar het enige pad doorheen liep een rode stroom modderig water stond. Normaal gesproken staken we hier altijd over, maar het water leek zo diep en stroomde zo snel dat ik er zelfs het zware voertuig met zijn snorkel niet aan durfde toevertrouwen. Aan de overkant stonden mannen van het leger van Tsjaad; ze hadden een plastic touw tussen de bomen aan weerskanten van het water gespannen, wel zo'n vijftig meter. De strakke lijn wiebelde boven het water op en neer. De soldaten aan de andere kant gebaarden ons over te steken; we moesten ons hand over hand langs het touw laten gaan. 'Kom op, we doen het,' zei Paul zonder enige aarzeling. Ik wilde het de anderen wel eens eerst zien doen.

Aan weerskanten bleven mensen staan, met en zonder voertuigen. Vrouwen en mannen met pakketten in alle soorten en maten in kleurige doeken of plastic gewikkeld waren aan het overwegen of het het risico waard was. Sommigen hadden geen keus. We keken toe hoe een paar mensen zich moeizaam naar de overkant waagden. Er was veel kracht voor nodig; ze wapperden als vlaggen aan het touw terwijl ze zich hand over hand verplaatsten en zich naar voren trokken alsof ze zichzelf uit drijfzand hesen.

Elk jaar sterven er in de regentijd weer veel mensen die proberen een overstroomde wadi over te steken.

Wat moesten we met onze auto en chauffeur doen? De chauffeur kon natuurlijk teruggaan naar Abéché, en wij konden, als we eenmaal aan de overkant stonden, gebruikmaken van een pendelbus naar de volgende stad, Tine, die de soldaten beschikbaar stelden. Dat sprak Paul wel aan.

Ik herinnerde me dat ik een paar vrienden in Tine had die Engels spraken en stelde Paul voor hen te bellen. Dan konden ze hem aan de andere kant opvangen en kon ik met de chauffeur terug naar Abéché. Hier sprak natuurlijk mijn angst voor het water. Paul keek me alleen maar aan. 'Suleyman, we moeten aan de slag,' was het enige wat hij zei. Suleyman was ik.

Hij zei dat hij eerst zou gaan om mij te laten zien hoe het moest. Hij trok al zijn kleren uit, tot op zijn onderbroek, en stapte snel het water in. We vonden jonge, sterke mannen die zijn satelliettelefoon in plastic gewikkeld naar de overkant wilden brengen, en ook zijn camera en mobiele telefoon. Terwijl hij zich moeizaam een weg naar de overkant baande zag ik aan zijn armen dat hij zeer sterk was. Toch was het heel zwaar voor hem, en eenmaal aan de overkant viel hij neer om uit te rusten. Hij wenkte me ook te komen. Oké. Ja. Ik moest hier nog één keer goed over nadenken.

'Je kunt het, Suleyman! Hou je goed vast! Niet stoppen!' schreeuwde hij boven het gebulder van het water uit.

Oké, dit werk was mijn lotsbestemming. Het lag allemaal in Gods hand. Ik kon niemand vinden om mijn telefoon of cameraatje te dragen, dus wikkelde ik die in mijn kleren om mijn hals. Hierdoor trok het water me alleen nog maar verder van het touw weg. Het was heel koud; ik had gedacht dat het warm zou zijn. Alleen al het touw vasthouden was heel moeilijk. Dat ik één hand moest loslaten om me voort te bewegen was slecht voorstelbaar. Ik verschoof mijn handen centimeter voor centimeter en voelde het touw erin snijden. Ik werd door de razernij van het rode water uitgerekt. Ik liet me door mijn broer helpen. Ik dacht aan mijn droom, maar ik liet hem zijn armen onmogelijk ver over het water uitsteken, zodat ik meer kracht kreeg. Mijn telefoon en camera waren al drijfnat. Paul stond te kijken en juichte bij zelfs de geringste vordering. 'Kom op, man, je kunt het. Je kunt het. Zo ja. Hou vol.'

Ik haalde het natuurlijk. Mijn handen bloedden. Ik was doodop. Ik had de rampspoed waar mijn oudste broer aan ten onder was gegaan achter me gelaten. Ik zag voor me hoe hij in de verte wegdreef, terwijl hij met zijn lange bruine armen naar me zwaaide.

18
Wat kan er in vierentwintig uur tijd veranderen?

Toen onze kleren droog waren, stapten we in een van de legervoertuigen die naar Tine gingen, en daarmee gingen we linea recta naar het huis van de sultan. Ik kende hem van menig eerder tochtje met verslaggevers.

We bleven even bij hem om thee te drinken en ons te wassen; daarna reed de sultan met ons naar de markt, waar we een auto en chauffeur konden inhuren om ons naar het vluchtelingenkamp Oure Cassoni in de buurt van Bahai te brengen, een uur rijden verderop. Verslaggevers noemen het Oleg Cassini, maar niet door hoe het eruitziet.

Vlak voor onze komst waren de duizenden tentjes en de mensen door hevige wind geteisterd. Paul vroeg de vluchtelingen wat ze van de nieuwe vredesovereenkomst vonden die een paar maanden daarvoor door de regering van Soedan en een van de rebellengroepen was ondertekend. De meeste mensen dachten dat er alleen maar meer geweld van zou komen. Dat was natuurlijk ook de bedoeling van de regering, en dat begrepen de mensen. Als de regering van Soedan echt vrede wil stichten, moeten ze zorgen dat de mensen veilig zijn. Zolang ze de dorpen blijven aanvallen of anderen daartoe blijven aanzetten, zullen de mensen zich verzetten en zich bij nieuwe groepen aansluiten. Dat is voor iedereen zo klaar als een klontje.

We zaten in kleermakerszit onder een grote boom met tien bedachtzame vluchtelingen. Ze vertelden dat er, sinds de vredesovereenkomst, meer dorpen dan ooit in brand waren gestoken, meer mensen vermoord, meer vrouwen en meisjes verkracht. Het was nu veel erger, doordat er in bepaalde gebieden voor de dorpelingen minder bescherming was. Sommige vluchtelingen raadden Paul heel verstandig aan om met de rebellen te gaan praten die de overeenkomst ondertekend hadden en met degenen die niet ondertekend hadden. Maar dat was een probleem, want degenen die ondertekend hadden, volgden nu natuurlijk de bevelen van de regering op, en die hielden onder andere in dat er geen journalisten Soedan in mochten en dat iedereen die wel journalisten het land binnenbracht gearresteerd of doodgeschoten moest worden; ik dus. Maar er waren wel een paar rebellen in de buurt die niet ondertekend hadden, en we kregen te horen hoe we op de plek waar zij zich bevonden moesten komen.

Dat deden we. We belden hen en ze stemden ermee in om door Paul geïnterviewd te worden. Tegen de tijd dat hij klaar was met zijn interviews was het te donker om nog terug te rijden, dus sliepen we in hun kamp.

Toen we de volgende ochtend terug waren in Bahai, dat daar in de buurt lag, kwam Paul collega-verslaggevers tegen, en ik ging op de markt wat kruidige kebab kopen en bij een paar kennissen op bezoek.

Een paar uur later, aan het eind van de ochtend, stond Paul me opgewonden op te wachten. Hij had via zijn satelliettelefoon met collega's gesproken die net terug waren uit Furawiya. Hij had gehoord dat een paar families, die schoon genoeg hadden van het leven in de kampen, hun leven op het spel zetten en naar het gebied terugkeerden. Dat was een goed verhaal, in elk geval een nieuwe wending. Hij zei dat we hen onmiddellijk moesten interviewen. Zijn tijd zat er bijna op en dat gold misschien ook wel voor die families.

De mensen op de markt hadden me net verteld hoe gevaarlijk het de afgelopen paar dagen in het hele gebied was geworden. Regeringssoldaten van Soedan, rebellen uit Tsjaad, rebellen uit Darfur, rebellen uit Darfur die voor de regering werkten, Janjaweed, in het gebied vlak over de grens vocht iedereen met iedereen, en soms aan beide kanten van de grens. Geen enkele groep was heer en meester in het gebied. Je kon niemand bellen om toestemming te vragen om erdoorheen te rijden. En dan is reizen wel heel erg gevaarlijk.

Maar het zou een heel kort reisje worden. Twee uur naar Furawiya, twee uur om te interviewen, en twee uur terug. Met een beetje mazzel waren we voor het avondeten weer terug.

De verslaggevers die Paul had ontmoet, waren erin geslaagd de reis te maken. Paul is een heel voorzichtige verslaggever; hij kreeg bemoedigende informatie van journalisten en van de mensen van de NGO in de stad. Hij had voorzichtig met deze mensen afgesproken en zelfs met de rebellenleiders in Ndjamena om hem duidelijkheid te verschaffen over de actuele veiligheidssituatie langs de grens. Wat kan er in vierentwintig uur tijd veranderen? Alles natuurlijk. Maar ik dacht aan mijn zelfgekozen lotsbestemming. Mijn broer Ahmed was beslist niet weggelopen als het gevaarlijk werd.

Ik belde de rebellen die we de avond ervoor hadden ontmoet. Ze zeiden dat de situatie nu beroerd was. Toch ging ik terug naar de markt om iemand te zoeken die ons erheen kon brengen.

Een man uit Tsjaad, ene Ali, de zoon van de plaatselijke omda, had een nieuwe Toyota Hilux-taxi annex pick-up met airconditioning. Ali was iets ouder dan ik, heel stil, en droeg het traditionele witte hemd tot op zijn voeten en een tulband of *shal* om zijn hoofd.

Ik bekeek zijn auto, die naast de andere auto's die te huur waren stond.

'*Salam aleikum*,' begroette ik hem.

'*Aleikum salam*,' antwoordde hij.

'Humdallah,' ging ik verder.

'Humdallah,' antwoordde hij. Dit is de standaardbegroeting.

Ik zei dat zijn auto er prima uitzag en dat ik gehoord had dat hij een goede chauffeur was. 'Ja, ik ben heel goed,' antwoordde hij zonder te glimlachen.

Ik legde uit waar ik met mijn Amerikaanse journalist heen wilde.

'Ik ben nog nooit die wadi overgestoken en Darfur in gegaan,' zei hij. 'En ik denk dat ik dat ook nooit wil. Ze komen met hun gevechten al vaak genoeg deze kant op.'

Ik legde uit dat de Amerikaan er goed voor zou betalen en dat het maar een kort tripje zou zijn, van een uur of zes. Voor het donker waren we weer terug. Ik leek Paul wel, dus zei ik er nog achteraan: 'Als God het wil', want dat wordt er sowieso vaak bij gezegd.

'Nee, ik durf niet,' zei hij. 'Ik heb een vrouw en twee kinderen. Het is te gevaarlijk.'

Ik zei dat hij het volle dagtarief zou krijgen, en ook nog voor twee volle dagen. Ali's vrienden – er is altijd wel een horde mensen op dat soort plekken – begonnen met ons gesprek mee te luisteren. 'Dat is veel geld,' zeiden ze tegen hem. 'Ali, je moet het doen. Je krijgt voor twee dagen geld, en je hoeft alleen maar heen en terug te rijden. Dat kun je best, als God het wil.' Dit was bepaald niet de eerste keer dat ik een auto en chauffeur op deze markt geregeld had, dus sommigen van hen kenden me en zeiden dat ik hier heel goed in was en dat ik nooit zou gaan als het niet kon. 'Als God het wil,' voegde ik eraan toe.

'Nee,' hield Ali vol. 'Het is niet veilig.'

Zijn vrienden begonnen weer op hem in te praten: 'Veel geld voor je gezin. Voor het donker terug. Vandaag zijn er geen Antonovs in de lucht en er zijn niet veel vluchtelingen op de been.' Eindelijk stemde hij schoorvoetend toe. Ik merkte wel dat hij er niet blij mee was. Maar het ging om driehonderd dollar, Amerikaanse dollars. Dat is een fortuin, meer dan de helft van wat je voor een goede kameel betaalt.

We moesten meteen weg, anders waren we niet voor het donker terug. We kochten wat frisdrank, water en brood voor onderweg, en gingen Paul halen. Ik probeerde wat met Ali te praten om hem beter te leren kennen. Hij had als jongeman in het leger gediend. Hij was vader, dat wist ik. Hij was de zoon van de omda, dat wist ik. Hij was zo zenuwachtig over de tocht dat hij me niet veel vertelde wat ik niet al wist.

Toen we wegreden, zei ik tegen Paul dat hij zijn satelliettelefoon aan moest laten staan. Ik wist niet wie er zou kunnen bellen, maar het was op de een of andere manier geruststellend. Toen we bij de wadi kwamen die de twee landen van elkaar scheidt, reed Ali heel vakkundig met ons het diepe water in en aan de andere kant weer omhoog. *Tawkelt ala Allah*, zei ik. Het is in de hand van God. Tawkelt ala Allah, herhaalde Ali. We waren in Darfur.

19
Daar, jongens met een kalasjnikov

We volgden de duidelijkste bandensporen door de woestijn. Ali en ik keken vaak naar buiten om na te gaan of de sporen oud of nieuw waren en afkomstig van regeringstroepen of van rebellen.

Er ging een uur voorbij; we waren bijna halverwege. Ali zei niet veel. Hij was vreselijk gespannen. Dat waren we allemaal.

Ik was vooral bang dat er een schutter de weg op zou komen lopen en ons staande zou houden. En dat gebeurde dan ook, in een smalle wadi in een bergachtig stuk. Een jonge soldaat, hooguit veertien jaar, stond met zijn kalasjnikov op de weg. Even verderop stond nog een jongen. Er zaten hoogstwaarschijnlijk nog meer soldaten rondom ons tussen de rotsen te wachten tot wij zouden proberen er snel vandoor te gaan.

Ik sprak rustig tegen Ali en zei dat hij moest stoppen. '*Mashalla*,' zei hij tegen het plastic van het stuur, waarmee hij zich schrap zette voor Gods beslissing. Paul boog zich vanaf de achterbank naar voren om te kunnen zien wat er gaande was. Ik stapte langzaam uit.

De jongens hadden traditionele gewaden aan en een patroonriem over hun borst. Ik liep naar hen toe. 'Salam aleikum,' zei ik.

Ze antwoordden navenant, maar zonder hartelijkheid. We schudden elkaar de hand. Ik haalde een pakje sigaretten uit mijn zak en stak er een op. De jongens verroerden zich niet. 'Zijn er problemen?' vroeg ik hun. 'Nee, niks,' antwoordde er een.

Links doken twee iets oudere jongens op, ook met een geweer.

'Oké, Daoud, ga daar maar bij hen staan,' zei een van de jongens die ons staande hadden gehouden. Hij wist hoe ik heette.

De andere twee jongens haalden Ali en Paul uit de auto en doorzochten die toen. Ze pakten Pauls satelliettelefoon af en onze frisdrank. Er kwam een truck met hun volwassen aanvoerder aangereden.

'Zijn jullie er eindelijk?' zei hij tegen mij. Dat was een veeg teken. Het betekende dat er in Bahai of in de andere rebellengroep minstens één spion had gezeten die de regering van Soedan had verteld dat we in aantocht waren. De regering had deze rebellen die met hen samenwerkten eropuit gestuurd om ons te halen. Iets anders kon ik niet bedenken.

Ze zetten ons weer in onze auto, met een nieuwe chauffeur en met de jonge soldaatjes als bewaking.

Paul vroeg of ik optimistisch was. Ik lachte even en zei niets. We reden anderhalf uur lang in zuidoostelijke richting naar een plek waarvan ik wist dat hij in de buurt van het door de regering beheerste gebied lag.

We kwamen aan bij een rebellenkamp, en een truck met nog een aanvoerder hield halt. Ik kende hem. 'Hoe gaat het met je, Daoud?' vroeg hij. 'Je weet toch wel dat de regering niet wil dat je hier met je hawalya komt?'

Ik zei dat niemand in dit gebied de dienst uitmaakte, dus dat ik niet wist aan wie ik toestemming moest vragen. We gingen zo terug, als ze dat wilden.

'Het zou geen probleem moeten zijn,' zei hij.

Hij liep naar de twee aanvoerders, wier soldaten ons gevangen hadden genomen. Hij praatte een hele tijd met hen en kwam toen langzaam en met een bedrukt gezicht weer naar mij.

'Zij zijn hier min of meer de baas. Ze willen je niet al zo snel terugsturen.' Hij vroeg of hij een sigaret mocht.

'Er is veel veranderd, Daoud; het is hier niet meer hetzelfde. Het is één grote chaos.' Hij liep weg en een van de andere aanvoerders kwam naar me toe om te zeggen dat Paul en Ali in onze auto moesten blijven en dat ik met hem mee moest komen. Ik vroeg hem wat er gaande was.

'Niet tegenspreken,' zei hij. 'We gaan je terugbrengen naar Tsjaad.'

Ik zei dat ik liever met mijn reisgenoten meeging, omdat ik verantwoordelijk voor hen was.

'Als je teruggaat met Ali en Paul, is dat je eigen keuze, je lot.'

Op een ander tijdstip had ik de lift terug naar Tsjaad misschien wel aangenomen. Maar het was mijn taak om de verslaggever veilig in Darfur te brengen en weer terug, en verder leek niks ertoe te doen. Dus was het niet moeilijk voor me om hem te bedanken en terug te gaan naar Paul en Ali, en naar wat ons ook te wachten mocht staan. Naast ons stapten soldaten in onze eigen truck in en we werden een heel eind door de woestijn gereden.

'Dit is foute boel, Paul.' Ik legde uit dat we in de richting van het gebied reden waar de regering van Soedan legerkampen had.

Daar was Paul niet blij mee. Ali was nors. Hij was altijd nors, maar nu des te meer.

We kwamen aan bij een verlaten, verwoest dorp dat de rebellen als uitvalsbasis gebruikten, en we moesten op een open plek tegen een lemen muur gaan zitten. We kregen een beetje te eten en wat water. Van Ali en mij werden de polsen op onze rug vastgebonden met dun plastic touw, dat pijn deed. Paul werd meegenomen een andere kant op. Zijn polsen werden niet vastgebonden, en dat vatte ik op als een goed teken.

Ali en ik zaten daar de hele dag en kregen het warm en werden dorstig in de brandende zon. Aan het eind van de middag kwamen drie voertuigen het dorp in gereden, met drie rebellenleiders erin. Ik zag al snel dat Paul met een van hen in het Engels sprak. Hij had zijn opschrijfboekje tevoorschijn gehaald en interviewde de man. Ongelooflijk. Ik lachte wat en gebaarde met mijn hoofd, zodat Ali het ook zou zien. Paul liep even later met de aanvoerders bij ons langs en zei dat hij dacht dat ze ons snel zouden vrijlaten. Dat geloofde ik niet, althans niet voor Ali en mij. De lemen muur leek me prima geschikt om mensen tegen dood te schieten.

Het werd donker en Ali en ik probeerden te slapen, maar dat lukte niet. Heel laat kwamen er nog twee auto's aan, en er kwamen allerlei mannen bij ons langs om ons te bekijken. Ze sloegen Ali met hun vuisten en schopten hem een hele tijd met hun laarzen. Mij sloegen ze niet. Ze pakten onze horloges en zonnebrillen af, en haalden onze matrassen uit de auto. Ze pakten Ali's goede schoenen af. Ze probeerden de mijne ook af te pakken, maar dat stond ik niet toe. Ik zei dat ik niet wilde meemaken dat mijn schoenen door mijn eigen volk werden afgepakt. Ik zei dat ze me dood konden schieten als ze ze nodig hadden, maar dat ik ze als ik bleef leven zelf nodig had. Ze dropen af.

Een paar uur later trokken ze ons ruw overeind en duwden ons in de laadbak van een andere truck. Paul was ergens anders, we hadden hem de hele avond niet meer gezien. Later zou ik te horen krijgen dat hij in Ali's truck naar het dorp Towé was gebracht, waar hij drie dagen lang afgeranseld was door jonge soldaten die dronken waren van de dadelwijn.

Ali en ik zaten de rest van de nacht in de auto en werden naar een plek in de bergen gebracht. 's Ochtends hielden we halt op een rotsige plek waarvandaan in een paar richtingen bandensporen liepen. Daar moesten we uitstappen, heel ver bij welk dorp of stadje ook vandaan. In zo'n situatie weet je wel dat je waarschijnlijk nog maar heel kort te leven hebt. Ik zag dat Ali met zijn ogen dicht in stilte bad. Dat deed me eraan denken dat ik ook iets moest zeggen.

Ze schoten ons niet dood. We moesten onder een boom gaan zitten en wachten. Eindelijk konden we wat slapen. Al snel arriveerden er negen rebellenleiders, die een eindje verderop tussen de rotsen een bespreking hielden. Ik kende twee van de mannen van eerdere reizen, toen deze rebellengroep zich nog niet bij de regering had aangesloten. Het regende en elke druppel voelde heerlijk aan op mijn gezicht.

Na de bespreking kwamen ze naar ons toe en een van hen zei: 'Daoud, er is niks aan de hand, maak je geen zorgen.' Toen reden ze weg. Twee andere aanvoerders – mannen van de inlichtingendienst – begonnen tegen ons te schreeuwen en ons met hun vuisten, laarzen en geweerlopen te bewerken. Ik voelde botjes in mijn vingers breken toen het geweer ertegenaan sloeg. Toen bonden een paar soldaten onze enkels vast en gooiden ons als grote zakken in de laadbak van de truck. We zetten onze reis in een andere richting voort.

We kwamen bij weer een andere rebellenbasis, de truck hield halt, twee mannen pakten mijn voeten en twee mijn armen en zwaaiden me van de truck af, zo op de rotsige grond. Als je vastgebonden bent kun je niets doen om je val te breken, en de scherpe rotsen halen je huid open. Het was regentijd, in de zomer, dus er lag niet eens een kussentje van stof over de rotsen heen. Met Ali deden ze hetzelfde, en ik schaamde me vreselijk dat ik hem overgehaald had om deze tocht te maken. Hij werd van flinke hoogte op de scherpe rotsen gegooid. Hierdoor, en door de afranselingen, liep hij verschillende gebroken vingers op en ik weet niet wat nog meer, misschien ook gebroken ribben. Ik geloof dat hij na die val even buiten westen was.

Onze lippen zaten onder de blaren doordat we zo lang zonder water in de zon hadden gezeten. Onze armen en vingers waren erg opgezwollen en deden pijn van de touwen, en nu onze voeten ook. We werden tot onder een boom gesleept, er werd water in onze mond gedruppeld en we werden eindelijk losgemaakt. We kregen te horen dat we op 'de gestoorde aanvoerder' moesten wachten.

20
Het kan nog erger

Na twee uur kwam 'de gestoorde aanvoerder' in zijn Land Cruiser aan rijden en hij ging meteen tegen de soldaten tekeer omdat ze ons hadden losgemaakt. Hij hield toezicht terwijl de touwen om onze polsen op onze rug heel strak werden vastgezet. Daarna liet hij lange touwen aan onze enkels vastmaken. De uiteinden werden over hoge boomtakken gegooid.

'Het is heel eenvoudig: ik laat jullie zien hoe het werkt, dan kunnen jullie het zelf ook als het nodig is,' zei hij tegen de soldaten. Toen draaide hij zich om naar Ali en mij en zei met kalme wreedheid in zijn stem: 'Ik ga jullie nu martelen en dan vertellen jullie me alles wat jullie weten: wie jullie gestuurd heeft, wat jullie hier komen doen, met wie jullie afgesproken hebben... alles.'

Marteling was een populair nieuw middel, want Guantanamo en Abu Ghraib waren op dat moment alom in het nieuws, en gestoorde kerels zoals hij kregen nu toestemming om zich gestoord te gedragen.

Ik was als eerste aan de beurt. Drie soldaten begonnen aan het touw te trekken en ik werd ondersteboven aan de boom gehangen. Ik dacht: oké, dit valt wel mee. Maar na een paar minuten wordt het heel erg. Je hebt het gevoel alsof je ogen uit je hoofd zullen springen. Je hoofd bonkt en je kunt bijna niet ademhalen. Ze trekken de touwen om je polsen en enkels strak, zodat je nog meer pijn hebt. Daarna bonden ze de lange touwen aan de boomstam en gingen weg om mijn sigaretten op te roken, terwijl wij daar hingen. De pijn wordt erger en erger, totdat je het uitschreeuwt. Ik had nooit gedacht dat het zo erg zou zijn. Door onze verwondingen werd alles natuurlijk nog erger, vooral voor Ali. Zo af en toe lieten ze ons zakken en vroegen ze ons wat we te vertellen hadden.

Ik vertelde ze keer op keer dat ik tolk was voor verslaggevers en dat de verslaggevers geen spionnen waren; ik was geen spion en Ali was onze chauffeur, meer niet. Ali zei dat hij lang geleden in Tsjaad gewoon soldaat was geweest, maar dat hij geen spion was. Hij zei dat hij een vrouw, een zoontje en een dochter had en dat zijn werk er alleen maar uit bestond mensen van het ene dorp naar het andere te brengen.

Dan zeiden ze dan ze ons niet geloofden en hesen ons weer ondersteboven in de boom. En toen hield het eindelijk op. Ze lieten ons als een zak op de grond vallen.

Rond een uur of tien 's avonds werd ik wakker in de donkere woestijn. Nachtinsecten deden zich te goed aan onze bloedende snijwonden en van dat gekietel werd ik wakker.

'Ali. Kijk. We leven nog.' Ik schopte even tegen hem aan. 'Het valt wel mee.' In het zwakke licht van de sterren zag ik zijn ogen een beetje bewegen.

'Ja, dank je wel, dank je wel,' zei hij, terwijl hij een spinnetje van zijn bebloede neus blies. 'Het is geweldig allemaal. Ontzettend bedankt voor deze fijne reis.' We vielen weer in slaap.

Midden in de nacht werd ik door twee jonge soldaten opgepakt en losgemaakt. Ze liepen een eindje met me bij de slapende Ali vandaan.

'Oké, Daoud,' zei een van hen. 'Je moet hier nu weg. Ali is een spion van het leger van Tsjaad, dus hij moet blijven. Maar onze aanvoerder zegt dat jij weg moet. Je hawalya is al terug naar Tsjaad gestuurd. Ze hebben hem ergens in de buurt van Bahai gebracht en vandaar is hij de grens met Tsjaad overgestoken. Hij wacht daar op je.'

'Dat is goed om te horen. Fijn dat jullie me dat vertellen. Maar wat moet ik tegen Ali's familie zeggen als ik zonder hem terugkom?' vroeg ik. 'Dat kan ik niet maken. Dat zouden jullie ook niet doen. Als jullie zijn broers waren, wat zouden jullie dan zeggen als iemand die verantwoordelijk voor je broer was hem in zo'n gevaarlijke situatie aan zijn lot had overgelaten?'

'Nou, jij bent nu los en wij gaan weer slapen, dus wij hebben gedaan wat we van onze aanvoerder moesten doen.'

Ik was vrij om te gaan, maar ik was ook vrij om Ali los te maken, zodat we allebei konden proberen om via te bergen terug naar de vrijheid te vluchten. Terwijl ik hem losmaakte vroeg hij wat er was gebeurd, want hij had het gesprek maar voor de helft verstaan. Ik legde uit hoe de situatie ervoor stond en hij stond erop dat ik wegging, vooral omdat ze me dat zelf hadden gezegd.

'Zo kun jij mijn familie vertellen waar ik ben en misschien kunnen zij hulp regelen om mij hier weg te krijgen,' zei hij. 'Dus ga nou maar.'

Ik zei dat ik zijn familie niet onder ogen kon komen als ik hem alleen achterliet, en dat begreep hij wel.

'Ze zullen je vragen om voor onze truck te betalen,' zei hij, en daar moest ik om lachen, omdat ik wist dat dat waarschijnlijk waar was. We overwogen om samen te gaan, maar bedachten dat ze ons dan snel op het spoor zouden zijn en gezien de omstandigheden waarschijnlijk zouden doden. Dus wreven we onze polsen en enkels weer een beetje tot leven en wachtten we op wat komen ging.

Vlak na zonsopgang kwam de aanvoerder van de basis naar ons toe, terwijl hij verwachtte alleen Ali te zien. Hij zag ons samen zitten praten, zonder dat we vastgebonden waren.

'Daoud, loop eens even met me mee. Ik wil met je praten,' zei de aanvoerder.

We liepen een halfuur of zo. Hij kende mijn familie en hij wist dat Ahmed en een paar neven van me gedood waren toen ons dorp was aangevallen. Hij vond het maar niks dat zijn eigen volk vermoord werd nu er een nieuw akkoord lag, maar hij hoopte dat er op een dag vrede zou komen.

'Als de andere rebellengroepen niet meer tegen ons vechten, zal er een eind komen aan het moorden,' zei hij, misschien wel vooral tegen zichzelf.

'Denkt u dat echt?' vroeg ik hem. 'Waarom denkt u dat er voortdurend nieuwe rebellengroepen ontstaan?' Hij keek me aan, maar kon niet uitspreken wat we allebei dachten. Hij zat er nu zelf tot over zijn oren in en hij dacht misschien dat hij ooit in het Soedanese leger bevorderd zou worden. Die invloed heeft oorlog op mensen. Er zouden altijd rebellengroepen zijn, zolang de regering dorpen aanviel om mensen van hun land te verdrijven. Net als deze rebellengroepen die nu hun broers vermoordden, was hij de weg kwijtgeraakt, was hij zijn volk vergeten en dacht hij alleen nog maar aan zichzelf.

'Hebt u Ahmed gekend, mijn broer?' vroeg ik.

'Ik heb over hem gehoord. Het zou kunnen dat ik hem één keer in El Fasher heb ontmoet.'

'Oké,' zei ik. Ik wilde alleen Ahmeds geest erbij halen om met ons mee te lopen. Misschien zou dat deze aanvoerder eraan helpen herinneren dat hij goed moest doen.

Hij vroeg of ik echt wel zeker wist dat ik in dezelfde situatie wilde verkeren als Ali. Ik legde hem hetzelfde uit wat ik al de hele nacht had uitgelegd. Hij keek verdrietig en zei dat ik maar weer bij Ali moest gaan zitten.

Er kwamen al snel vijf soldaten van hooguit zestien of zeventien jaar bij ons, die ons vroegen op te staan. Ik zag dat de aanvoerder heel snel door de wadi wegreed. In het voorbijgaan keek hij even naar ons en zo te zien had hij het moeilijk.

De jongens bonden onze polsen stevig op onze rug en brachten ons over de weg naar een met bomen omzoomde wadi, een eind uit de buurt van hun basis. De wadi lag bezaaid met menselijke beenderen en dotten haar, en het stonk er verschrikkelijk naar de dood. Die geur kan maanden op zo'n plek blijven hangen, maar deze beenderen waren nieuw en stonken vreselijk. Ik probeerde er niet op te trappen, maar dat was onbegonnen werk. Bij elke stap huiverde ik. Dus hier ga ik dood, zei ik bij mezelf.

21
Blinddoeken, graag

Ali's gebeden, die hij meestal stilzwijgend opzegde, klonken nu luid en duidelijk. De jonge mannen namen op vier, vijf stappen afstand van ons hun positie in. Ik herkende een paar van deze jongens, maar wist hun voornamen niet. Ik had ze als kind gekend, toen ze misschien een jaar of acht oud waren. Door de manier waarop ze terugkeken was het duidelijk dat een aantal van hen zich mij herinnerde. Ik keek wie er als eerste zou schieten. Een geluidje links van me, een plotselinge beweging rechts, elke keer zette ik me schrap. Ik riep naar de jongen die zo te zien de leider was.

'Kunnen jullie alsjeblieft iets halen om ons te blinddoeken?' vroeg ik hem.

Hij vroeg waarom we dat wilden.

'Ik ken een paar van jullie en ik wil niet zien dat jullie ons doodschieten. Jullie doen wat jullie moeten doen, maar ik wil niet zien hoe jullie mensen van je eigen volk doodschieten. Dat hoeven wij niet te zien, zeker niet als het het laatste is wat we zien.'

Ik kende de familieleden van een van de oudere jongens – niet de leider – en had een paar van zijn zussen en neven en nichten in het vluchtelingenkamp in Touloum gezien. Ik keek hem doordringend aan.

‘Ik heb familie van jou in Touloum gezien. Velen van hen zijn nog in leven en vragen zich al jaren af waar je zit. Een paar van je broers zijn dood, door hetzelfde leger waar jij nu mee eet. Je moet op zoek gaan naar je familie in Touloum en hen helpen.’ Ik zag wel dat dit hard bij hem aankwam en dat hij blij was te horen dat een deel van zijn familie nog in leven was.

De jongens gingen een eindje verderop staan en overlegden misschien hoe ze blinddoeken voor ons moesten maken. Ze kwamen langzaam terug, terwijl ze het over andere dingen hadden en er met hun kalasjnikov maar een beetje bij stonden.

‘Jullie moeten echt blinddoeken voor ons regelen,’ zei ik weer tegen de jongen die de leiding had. Hij kwam dicht bij me staan.

‘Daoud, we weten niet wat jullie hier doen en of jullie spionnen zijn of niet, maar we hebben overlegd en niemand van ons gaat jullie nu doden.’

‘Waarom dan niet?’ vroeg ik.

‘Omdat we al heel veel mensen van de Zaghawa-stam kwijt zijn. En nu moeten we tegen hen vechten en dat vinden we niks. We moeten het doen. Maar we hoeven jullie niet dood te schieten. Dus we wachten gewoon tot onze aanvoerder terug is en dan moet hij jullie maar doodschieten als hij dat wil.’

Dit was heel goed nieuws. Ik bedankte de jongens en ze glimlachten. Deze jongens hadden veel meegemaakt en waren toch nog menselijk. Ali dacht dat ze ons toch zouden doodschieten en wilde zijn ogen niet opendoen en niet ophouden met bidden, maar het waren hoe dan ook goede gebeden, en die kunnen nooit kwaad.

Ik vroeg of we ergens anders heen konden, weg bij die beenderen, en onder een boom konden gaan staan. Dat deden we. Ik vroeg hoe de jongens heetten en we praatten een uurtje over hun families. Ik kon de meesten wel wat over hun familie in de kampen vertellen. Ze haalden wat te eten voor ons, het eerste wat we in lange tijd kregen. Daarvoor maakten ze onze handen los.

'Waarom denkt iedereen dat ik een spion ben, louter en alleen omdat ik uit Tsjaad kom?' vroeg Ali hun met zijn blije mond vol eten.

De jongen die de leiding had zei dat Tsjaad geen Soedan was. Tsjaad was de vijand.

'Denken jullie dat?' vroeg Ali. 'En jullie zijn Zaghawa-jongens uit Darfur?' Omdat hij twee kinderen had sprak hij deze jongens nu als een vader toe.

'Wisten jullie dat Darfur heel lang geleden een groot land was, zo groot dat het zowel in Soedan als in Tsjaad lag? Wisten jullie dat de Fransen, die later de dienst uitmaakten in Tsjaad, en de Engelsen, die later de baas waren in Soedan, een lijn door de Wadi Howar getrokken hebben, waardoor Darfur voor de helft in allebei die landen lag? Wisten jullie dat? Wat maakt die lijn jullie nou uit als jullie mannen uit Darfur zijn? Wat maakt het jullie uit wat voor lijnen de Engelsen en de Fransen op de kaart zetten? Dat doet toch niks af aan het feit dat we broeders zijn?' Dat kwam wel aan bij de jongens.

'En dan nog eens iets. Wisten jullie dat mensen van jullie volk in Tsjaad verhalen horen over de onverschrokkenheid van het grote leger waar jullie nu deel van uitmaken, jullie en jullie nieuwe vrienden, de Janjaweed?' De jongens kwamen wat dichter om hem heen staan.

'Ja, jullie moedige nieuwe vrienden hebben een meisjesschool in Darfur aangevallen. Ze hebben veertig jonge meisjes en hun onderwijzeressen verkracht. Sommige meisjes waren acht jaar oud. Vijftien van hen moesten heel lang in het ziekenhuis liggen en zaten onder het bloed van hun verwondingen. Toen de verpleegster die in het ziekenhuis werkte hierover vertelde, werd ze opgepakt, geslagen en twee dagen en nachten lang verkracht. Daarna hebben ze haar heel ernstig met messen toegetakeld. Zouden jullie zoiets ooit doen?'

De jongens keken elkaar aan. 'Natuurlijk niet,' sprak hun leider voor hen. 'Dat zijn onze zussen.' De jongens knikten. Op dat moment ging het keihard regenen en de jongens kwamen dichter onder de schriele boom bij elkaar staan. De regen werd de boom te veel en spoelde over hun jonge gezichten.

Deze jongens hadden al in lange tijd niet goed gegeten. Ze waren teleurgesteld in het leven en waren slechte alcohol gemaakt van dadels gaan drinken. Ze hadden niet lang genoeg bij hun vader gewoond om een goede jager te zijn en voor zichzelf te kunnen zorgen; als ze in deze periode wel eens op jacht gingen, in de hoop een grote vogel of ander wild te schieten dat ze konden opeten, kwamen ze meestal met lege handen terug.

Ali vertelde hun dat ze in de kampen in Tsjaad te eten zouden krijgen en dat daar voor hen werd gezorgd, en dat ze zelfs naar school konden en hun familie weer konden zoeken, en dat ze dan niemand meer iets aan hoefden te doen. Voor iemand die geen spion was, wist Ali deze soldaatjes heel goed om te praten.

Ik vroeg een jongen die heel stil was geweest, waarom hij vocht.

'Waar moet ik naartoe?' antwoordde hij. 'Wat moet ik doen? Mijn familie is dood, ik heb geen geld, geen dieren, niets. Hier krijg ik in elk geval elke dag te eten.'

'Je kunt toch naar het vluchtelingenkamp in Tsjaad gaan, zoals Ali net zei?' antwoordde ik. 'Daar krijg je eten en mag je naar school. Dat zou goed voor je zijn.'

'Nee, ik wil niet in zo'n kamp zitten en mijn land verlaten,' zei hij. 'Als ik doodga, ga ik thuis dood.'

Ali was er beter in dan ik.

De aanvoerder kwam weer in zijn auto door de modder aanstuiven. Hij zag dat we gezellig bij elkaar zaten en begon tegen de jongens te schreeuwen. Ze hadden niet gedaan wat gedaan moest worden. Hij foeterde hen uit, maar de jongen die de leiding had zei: 'We kunnen hen niet doodschieten. We hebben besloten dat u een geweer hebt. U bent als een oom voor ons en u zult dit voor ons moeten doen, want het klopt niet dat wij dat moeten doen.'

De aanvoerder vond het vreselijk om dit te horen. Er tekende zich van alles op zijn natte gezicht af: woede, ergernis en misschien ook wel opluchting. Hij bond onze polsen persoonlijk weer vast en liep toen weg, waarbij hij de motor zijn Land Cruiser liet lopen, totdat een van de jongens hem uitzette.

's Avonds werd ik losgemaakt en naar de aanvoerder gebracht, die in een lemen kamer met zicht op de sterren, omdat het dak afgebrand was.

'Daoud, je weet dat er, als ik je doodschiet, op een dag problemen komen tussen mijn familie en de jouwe, dus dat kan ik niet. Ik heb met mijn neven gesproken en zij hebben gezegd dat het heel, heel erg zou zijn, dus we gaan het volgende doen...'

Tot zover klonk het goed.

'Ali en jij moeten terug naar Tsjaad. Deze jongens brengen jullie met de auto naar een ander rebellenkamp en vervolgens brengen die rebellen jullie verder. Dus veel succes.'

Hij schudde me de hand. Ik werd teruggebracht naar Ali en vertelde hem het goede nieuws.

'En jij gelooft dat?' zei hij. 'Jij gelooft dat ze op die nieuwe plek geen andere jongens zullen vinden om ons dood te laten schieten?'

'Daar zit wat in,' zei ik, 'maar misschien geloven ze wat we gezegd hebben toen ze ons martelden en geloven ze dat we geen spionnen zijn. Misschien willen ze ons hier gewoon weg hebben. Waarom zouden ze kogels aan ons verspillen als we gewoon weggaan?'

Hij keek me aan alsof ik oliedom was. En hoe meer ik zei, hoe minder ik ook in mijn eigen woorden geloofde.

22
We komen jullie redden

Het viel zoals gewoonlijk niet mee om met onze handen op onze rug te slapen. Het stortregende die avond. Toen het ophield met regenen, kwamen er een paar vossen naar ons toe. We zaten te strak vastgebonden om ze weg te jagen, dus het was heel vervelend; het waren er nogal wat. Maar ze werden door andere dieren verjaagd, waarschijnlijk wilde honden of jakhalzen. Eindelijk vielen we in slaap.

De volgende ochtend werden we door vier van de vijf jonge soldaten naar een kamp op twee uur rijden afstand gebracht. De jongens draaiden een bandje met Soedanese liedjes en zongen onder het rijden mee. Toen we aankwamen, werd ons gezegd dat we onder een boom moesten gaan zitten.

Daar zaten nog twee jongemannen vastgebonden. Ze hadden een behoorlijke afranseling gehad. Een van hen had een gebroken arm en zat niet aan zijn polsen vastgebonden, maar aan zijn enkels.

Toen we hun vertelden hoe we heetten, zei de een: 'O, zijn jullie dat! We kwamen jullie redden.'

Ik vroeg wat hij bedoelde.

'Je hebt ons drie keer gebeld en ons gesmeekt om te komen helpen met jullie truck en om jullie eten en water te brengen. Je zei dat het een heel veilig gebied was.'

'Ik heb je helemaal niet gebeld,' zei ik. Langzaam maar zeker kwamen we erachter wat er was gebeurd.

De rebellen hadden de satelliettelefoon van Paul gebruikt om een paar monteurs te bellen om te komen helpen, en ze hadden mijn naam gebruikt. Op die manier hadden de rebellen nog een auto gestolen.

We sliepen die nacht onder de boom. De volgende dag kregen we te horen dat we alle vier elk moment naar Tsjaad konden vertrekken. Weer zeiden ze erbij dat Paul daar al was.

Ali had een theorie: als ze van plan waren onze trucks te houden, konden ze ons niet laten leven. Dat zou hen tot doodgewone dieven maken. Als wij spionnen waren en doodgeschoten waren of in een gevecht waren neergeschoten, was er niks mis mee dat zij de trucks hielden. Dus gingen ze ons doodschieten, maar wilden ze ons dat niet vertellen.

De jonge monteurs lachten hem uit. Zij zagen zichzelf in gedachten al op de markt van Bahai zitten eten.

Voor we weggingen was er nog een lange vergadering van de aanvoerders. Daarna kwam er een auto aanrijden en Paul werd eruit gehaald. Hij was dus helemaal niet in Tsjaad. Hij zag er afgepeigerd en smalletjes uit, alsof hij sinds onze gevangenname niet meer had gegeten. Zijn gezicht was verbrand en zat onder de blaren.

'Gelukkig dat jullie nog in leven zijn,' zei hij. Ik vertelde hem dat het niet lang meer zou duren voordat we veilig en wel in Tsjaad zouden zijn. Dat was niet zo ver weg. Paul schudde zijn hoofd; hij geloofde niets van wat ze zeiden, en dit al helemaal niet. Goede verslaggevers ruiken leugens zoals honden botten ruiken die diep begraven liggen.

Paul, Ali en ik werden in een Land Cruiser gezet waar het dak vanaf gesneden was; de twee monteurs werden achter ons in net zo'n auto gezet. We gingen op pad, maar in oostelijke richting in plaats van in westelijke.

De aanvoerders hadden besloten dat ze ons aan de regering van Soedan gingen uitleveren.

'Dan is het bekeken,' zei Ali rustig.

We reden een uur en kwamen toen bij een Soedanees legerkamp in de oude stad Amboro in Darfur, de stad waar mijn eigen sultan vandaan kwam, waar in tijden van oorlog zijn grote trommel geslagen werd, waar de goede scholen en het ziekenhuis dat de Engelsen in de koloniale tijd hadden laten bouwen nu net als de rest van de stad nodeloos in de as lagen. In plaats daarvan zag je overal soldaten en tanks.

Onze auto's stopten in de buurt van drie tanks. Toen de soldaten uitstapten en ons drieën een uur lang binnen lieten zitten, zei ik tegen Paul: 'Ik weet niet wat er hier met jou en Ali gaat gebeuren, maar ik weet wel dat ik hier ga sterven, dus als jullie me hierna niet meer zien, weten jullie wat er gebeurd is. Dit is het allerergste wat de rebellenaanvoerders voor ons hadden kunnen bedenken.'

Hij was te moe om iets te zeggen. De reis had hem geen goedgedaan.

Even later stonden we in de zon op het exercitieplein te wachten. We fluisterden tegen elkaar. Er kwam een aanvoerder naar ons toe. Hij bleef voor mij staan.

'Daoud, jij bent het grootste probleem, dus we gaan jou als eerste ondervragen.'

Paul, die niet beter wist of ik heette Suleyman, begreep niet waarom ik bij een andere naam genoemd werd.

'Wat is er aan de hand?' vroeg hij.

Ik legde uit waarom ik in de twee landen twee namen gebruikte en ik vertelde hem ook dat ik in Israël een probleem had dat tot gevolg had dat de regering van Soedan mij zocht. Ik legde uit dat Ali vroeger in het leger van Tsjaad had gezeten.

Paul zei dat ik hem dat eerder had moeten zeggen. Ik antwoordde dat ik het niet aan veel mensen kon vertellen. In Afrika ligt alles zo gecompliceerd. Niets is eenvoudig. Niemand is eenvoudig. Armoede bezorgt iedere mens heel gul een kleurrijk verleden.

'Maar misschien wil je jezelf zo veel mogelijk van ons afzonderen?' zei ik tegen hem. Zelfs in zo'n omgeving kan een gevangene vragen of hij apart van de anderen die gearresteerd zijn behandeld kan worden.

Paul zei dat hij dat niet wilde. Hij zei dat hij begreep dat ik verschillende namen had, en dat hij de rest ook begreep.

'We moeten bij elkaar blijven,' zei hij. De situatie beviel hem niet, maar hier was hij heel stellig in.

Daarna werd ik naar een ondervragingsruimte gebracht.

23
We hebben geen idee wat we moeten zeggen

Toen we naar binnen liepen, bedacht ik dat ik al genoeg gezegd had. Dit waren legeraanvoerders, het soort mannen dat mijn dorp in brand had gestoken en Ahmed had vermoord, en ik was helemaal klaar met hen. Toen ze me vragen begonnen te stellen, zei ik dat ik erop voorbereid was dat ze me gingen doodschieten. Ik wist dat ze dat toch wel gingen doen, net zoals ze mijn broer en veel van mijn neven hadden doodgeschoten, maar ik zei dat ik niet van plan was om antwoord te geven op hun vragen. Ik vertelde hun dat ik mijn situatie had aanvaard en dat ze net zo goed hun vragen aan mijn broer konden stellen, aangezien ik nu bij hem was. 'Ik ben dood; jullie weten hoe het ervoor staat en ik weet hoe het ervoor staat, dus waarom zou ik met jullie praten?'

Toen zei ik, omwille van Paul en Ali, dat ik hier onder één voorwaarde op terug wilde komen: als ze er soldaten van de Afrikaanse Unie, de AU, als getuigen bij haalden zou ik alle vragen naar waarheid beantwoorden. De soldaten van de Afrikaanse Unie waren met het mandaat van de Verenigde Naties in Darfur – sommigen op nog geen twee kilometer afstand – om toezicht te houden op de naleving van het vredesakkoord tussen de Soedanese regering en een van de rebellengroepen. Als de regering en deze rebellengroep samen dorpen willen aanvallen, of als de regering en de Janjaweed een dorp willen aanvallen, of alleen de Janjaweed of alleen de regering, dan heeft de AU daar niks mee te maken, hoewel ze er wel verslag van kunnen uitbrengen. Ze hebben nauwelijks middelen gekregen en stellen president Bashir eigenlijk alleen maar in staat om te zeggen dat er al vredestroepen in Darfur zijn, zodat andere landen weg kunnen blijven. De Afrikaanse troepen hebben ook al zoveel bloed en zoveel doden gezien dat hun gevoel van verontwaardiging over een dergelijke situatie misschien al een beetje aangetast is. Het was beter geweest als er soldaten van de Verenigde Naties uit veiligere delen van de wereld, waar mensen nog steeds verontwaardigd zijn, waren gekomen.

Maar goed, ik dacht dat de AU-soldaten er misschien voor konden zorgen dat wereldkundig gemaakt werd dat Paul, een bekend journalist, en Ali, de zoon van een belangrijk man in Tsjaad, gevangen waren genomen. Deze strategie had ik met Paul besproken toen we in de zon op het exercitieterrein hadden staan wachten.

'Als ik een aanvoerder van de AU te zien krijg, zal ik al jullie vragen naar waarheid beantwoorden.'

Ze keken elkaar ernstig aan – twee Soedanese legeraanvoerders en de twee rebellenleiders die ons hierheen hadden gebracht – en barstten toen in lachen uit.

'Daoud Ibarahaem Hari – of hoe je spionnennaam ook moge luiden – je bent nu in handen van de regering van Soedan en je gaat praten en ons alles vertellen, ook al denk je nu nog van niet,' zei de oudste leider met nog het restje van zijn glimlach op zijn gezicht. Op zijn bureau lagen papieren met daarop gegevens over al mijn reizen naar Darfur, en prints van internet van alle verhalen van alle verslaggevers en van het onderzoek naar genocide.

'Zie je wel? We weten alles al over je. We willen het alleen nog uit jouw mond horen.'

Paul werd binnengebracht. Hij vroeg wat er gaande was. Ik zei dat ik had besloten niks te zeggen als er niet iemand van de AU bij was, ook al had ik niks te vertellen wat ze zelf niet al wisten.

'Ze maken me toch dood, dus waarom zou ik praten?' Dat hadden Paul en ik afgesproken toen we in de zon met elkaar hadden staan fluisteren. Hij zei dat hij ook niet zou praten, tenzij er iemand van de AU bij was. Ze namen hem mee en begonnen mij weer vragen te stellen, die ik wederom weigerde te beantwoorden.

Toen brachten ze Ali binnen.

'Ali,' zei ik, 'Paul en ik hebben besloten dat we alleen praten als er iemand van de AU bij is. Je moet doen wat voor jou het best is, en ik zal voor je tolken.' Ali sprak het Arabisch van Soedan niet.

'Nee, ik geloof dat ik hun ook niets te zeggen heb,' zei hij. Zijn houding jegens deze mensen verhardde, en de gedachte dat hij nooit meer terug zou gaan naar zijn vrouw en kinderen wilde hem niet loslaten.

'Wat zei hij?' vroeg een aanvoerder.

'Ik tolk niet voor jullie. Het spijt me,' antwoordde ik.

Zolang we de pijn konden verdragen, zouden we alle drie onze rug recht houden.

Later hoorde ik van twee jonge soldaten die ons bewaakten dat ze ons ergens heen zouden brengen waar we wel anders over dat praten zouden gaan denken.

'Denken jullie dat dat iets uithaalt?' vroeg ik aan de vrolijkste van de twee. Hij keek me aan en lachte even, wij gevangenen zaten op onze knieën in het zand.

'Volgens mij ben je een taaie,' zei hij, 'maar ze hebben een paar heel wrede aanvoerders.'

Even later landde er een helikopter midden in het stoffige kamp. Vijf dikke Soedanese generaals stapten uit en beenden over het zand naar de plaatselijke functionarissen toe.

'Zijn dat die wrede aanvoerders? Zo te zien eten ze al hun gevangenen op,' zei ik zacht tegen onze bewakers. Daarvan moesten ze even flink slikken, terwijl ze voor de dikke mannen salueerden.

Na een halfuur kwamen twee generaals weer naar buiten, naar ons toe, waar wij nog steeds in de zon op onze knieën zaten. De langste van de twee, een Arabische man met veel sterren op zijn uniform, kwam met een woedend gezicht op me af. Ik keek naar hem op. Zijn ronde hoofd was net een donkere maan die boven zijn overdadig gedecoreerde buik uit kwam.

'Jij bent hier het probleem. Jij bent de oorlogsmisdadiger, niet wij. Jij brengt verslaggevers het land in om over ons te liegen en Soedan ten val te brengen. Jij bent hier de misdadiger.' De woede die uit hem stroomde was zo groot dat je gewoonweg zag dat hij in zijn hart wel wist dat hij het volkomen bij het verkeerde eind had. Zo gaat dat altijd wanneer woede heel groot en gevaarlijk is.

Hij keek naar mijn gezwollen, kleurloze handen, lachte een beetje en zei tegen de bewakers dat ze mijn touwen strakker moesten aanhalen. Ze salueerden en gingen aan de slag, maar mijn tintelende vingers voelden wel dat ze precies het tegenovergestelde deden.

Paul, Ali en ik werden naar de helikopter van de generaals gebracht en naar binnen geduwd.

De twee jonge monteurs die onze auto te hulp waren gekomen, zaten ook in deze helikopter. De man met de gebroken arm had veel pijn toen ze hem erin hesen.

Ik verschoof wat op de warme metalen vloer waar ik moest gaan zitten.

Toen we veertig minuten in de lucht zaten, werd de cabine onder luid geknal door kogels doorzeefd.

24
De regels der gastvrijheid

De kogels ketsten in de helikopter rond en een ervan kwam terecht in de rug van een jonge officier. Godzijdank liep hij er alleen een flinke dreun en een grote blauwe plek van op. Hij lachte toen hij zich realiseerde hoe goed hij er vanaf gekomen was. Misschien dat de andere kogels de motor raakten, want de helikopter zwenkte misselijkmakend door de lucht heen en weer en de piloot gaf vol gas. De generaals raakten enigszins in paniek, schreeuwden tegen de piloot en vroegen of hij kon zorgen dat ze niet zouden neerstorten. De piloot zei dat dat hem wel zou lukken. 'Godzijdank, godzijdank,' zeiden de doodsbange generaals tegen elkaar. Een aanvoerder trok me omhoog van de vloer en duwde mijn neus tegen een raampje, zodat ik recht naar beneden kon kijken.

'Waar zijn we?' riep hij boven de motor heen uit. 'Vertel me waarvandaan er geschoten wordt.'

Ik wist natuurlijk precies waar we zaten – in de buurt van Kutum – maar ik zei dat ik geen flauw idee had. Ik zei dat ik vanaf de vloer niks kon zien en niet meer wist waar we zaten. Hij bleef tegen me schreeuwen en vroeg of ik eruit gegooid wilde worden. Paul probeerde hen zover te krijgen dat ze mij losmaakten, want hij zag dat ik op die vloer zoveel pijn had dat ik hen helemaal niet kon helpen, al had ik gewild.

Toen alles weer tot rust was gekomen, behalve de motor, boog Ali zich met een glimlach, wat ik nog nooit eerder bij hem had gezien, naar me toe vanaf zijn veel betere zitplaats en zei dat het juist goed zou zijn als de helikopter neerstortte, want dan hadden wij nog een kans dat we het overleefden. Hij vroeg of ik met een geweer kon omgaan. 'Natuurlijk,' zei ik. Iedere jongen die in Darfur opgroeit gaat met zijn broers en vader jagen. 'Ik ook,' zei hij. Hij had in het leger van Tsjaad gezeten, dus hij wist al helemaal hoe hij een wapen moest hanteren. Ik vond het een bizar gesprek, maar goed, Ali was in elk geval positief. Eindelijk was er een gedachte die hem opvrolijkte, namelijk dat onze helikopter zou neerstorten. Ik hoopte dat ook. Maar binnen een halfuur vlogen we veilig en wel boven El Fasher, onze bestemming. Hier lag de stad waar ik op de middelbare school had gezeten. Hier lag de stad met de meest beruchte regeringsgevangenis van Noord-Darfur.

Terwijl we rondcirkelden om te kunnen landen, vroeg een van de aanvoerders of we de laatste tijd eigenlijk nog wel iets te eten hadden gehad. De jonge monteurs en ik lachten, want we wisten waar hij aan dacht, namelijk dat hun veronachtzaming van de regels van de gastvrijheid de oorzaak was geweest van hun pech in de lucht. Ik zei dat we bijna niks hadden gekregen. Hij zei dat we, als we eenmaal op de grond waren, goed te eten zouden krijgen. De regels van de gastvrijheid zijn hier heel sterk en duiken soms op vreemde momenten op.

Ik had de regeringsgebouwen al heel vaak vanaf de weg gezien. Ik had ze als jongen maar angstaanjagend en imposant gevonden, en nu we ertussen landden kwamen ze als de dood op mij over. Op de grond moesten we, met onze handen nog steeds vastgebonden, buiten tegenover een oude muur van adobe gaan staan, die lang geleden door de Engelsen geel was geschilderd.

Een aanvoerder schreeuwde ons in het gezicht, op maar een

paar centimeter afstand. Hij schreeuwde vooral tegen Paul. Terwijl ze tegen hem tekeergingen, moest hij in een oude stoel gaan zitten.

'We gaan jou eerst doodmaken,' zei een van hen. 'We zullen je wel eens laten zien wie je voor je hebt.' Ze klapten hun mobiele telefoon open en zwaaiden met het schermpje voor Pauls neus heen en weer, waar een fototje van hun held, Osama bin Laden, en de brandende torens van het World Trade Center op te zien waren.

Ik vind het interessant dat mensen de moeite nemen om tegen je te schreeuwen en zelfs om je pijn te doen, terwijl ze toch al van plan zijn je dood te maken. Wat heb je daaraan als je toch doodgaat? Het heeft mij altijd verspilde energie geleken. Als je iemand gaat doodmaken, waarom laat je hem dan niet zo veel mogelijk met rust? Ik heb daar nooit iets van begrepen, tenzij het iets zegt over de geestelijke gestoordheid of in elk geval het gestoorde verdriet van deze mannen. Dus ja, maak ons alsjeblieft dood. Maar doe onze oren geen pijn met je geschreeuw en laat ons geen foto's op je mobiele telefoon zien. Doe wat je moet doen en laat ons of ons lijk verder met rust.

Maar deze gekwelde geesten waren opgehitst. Toen de eerste gekken naar binnen gingen, kwamen er anderen naar buiten, die ons op onze rug en zij sloegen, ons schopten en ons met de kolf van hun geweer sloegen, en die ons zeiden dat we niet mochten omvallen, want dat we anders gedood werden. Auto's reden af en aan, maar als je ernaar keek, schopten of sloegen ze je nog harder en riepen: 'Daar mogen jullie niet naar kijken! Spionnen!'

Na een tijdje deed het niet zo'n pijn meer. Ik vroeg me alleen maar af wanneer ze ons precies gingen doodschieten of dood zouden slaan. De volgende minuut misschien? De minuut daarna anders?

Na drie of vier uur viel ik als eerste om. Ze sleepten me een grote cel in, waar ik wachtte op wat komen ging. Ik keek door de oude ijzeren tralies van de deur en zag mijn vrienden buiten op het zanderige terrein staan. Daarna viel Ali, gevolgd door de jongen met de gebroken arm, en toen de andere jongen. Paul zat plotseling niet meer in de stoel. Toen we allemaal, behalve Paul, het vertrek binnen gesleept waren, maakte een bewaker ons los en gaf ons wat water.

'Je mag nog blij zijn dat je zo snel bent gevallen,' fluisterde Ali dorstig, een beetje boos dat ik dat geluk had gehad.

De volgende ochtend werden we weer naar buiten gebracht en weer geslagen tot we erbij neervielen. Ik zou graag willen zeggen dat Ali als eerste viel, maar dat kan ik me niet herinneren. De tweede dag dat je geslagen wordt doet het meer pijn, want dan slaan ze op de blauwe plekken. Net als de dag ervoor sleepten ze ons de cel in, waar we de rest van de nacht mochten uitrusten. De derde dag werden we weer geslagen, maar toen gaven ze ons eindelijk wat te eten. Er moest zout en olie op en het was niet lekker. *Acida*, ook wel *foofoo* genoemd, moet je niet samen met linzen eten, en al helemaal niet zonder olie en zout. Dat was bedoeld om ons boos te maken. Het is net zoiets als wanneer je een hamburger in een milkshake doet.

We hadden allemaal vreselijke buikpijn. Misschien kwam het van de afranselingen, misschien van de honger, maar we konden niet veel eten. We hoorden van de bewaker dat onze ondervraging de volgende ochtend zou beginnen.

Ik was als eerste aan de beurt. Toen ze met me langs de andere cellen liepen, zag ik in een ervan Paul zitten. Hij zag er verschrikkelijk uit. Ik werd naar het kantoor van een ondervrager gebracht. Mijn benen werden aan de poten van een stoel vastgebonden en mijn handen op de rug van de stoel. Een grote man kwam naast me staan met dikke stokken en een zweep.

'In Amboro wilde je niet praten, prima. Wil je nu wel praten?' vroeg hij.

Ik was de afgelopen zes dagen vaak geslagen. Ik kon er niet meer goed tegen en ik wist dat ik nu ergens was waar ze me verschrikkelijk veel pijn konden doen.

'Goed, ik zal praten,' zei ik, 'maar dan wil ik wel een paar dingen met jullie afspreken.'

Hij vroeg wat ik daarmee bedoelde.

'Ten eerste moeten jullie tegen de bewakers zeggen dat ze ons niet meer moeten slaan. Ten tweede wil ik een sigaret, als u die hebt.'

'Oké, ik geef je een sigaret. Maar als je niet praat, zal deze bewaker je slaan.'

'Nee,' verbeterde ik hem. 'Als de bewaker me slaat, praat ik niet. Zo werkt het. Ik ga toch dood.'

'O, je wilt dood? Weet je wel hoeveel mensen er in Darfur dood zijn gegaan?'

'Ik weet dat ik niet de eerste ben die doodgaat, en als u dat wilt, moet hij me maar slaan en dan ga ik dood, maar ik praat niet als hij me slaat en als ik dood ben praat ik ook niet.'

Daar moest hij een beetje om lachen en toen haalde hij de sigaret uit zijn zak, een heel duur merk. Hij zei tegen de bewaker dat hij mijn polsen moest losmaken, zodat ik kon roken.

Terwijl ik de sigaret oprookte, vertelde ik hem hoe Paul contact met me had gezocht, wat Paul en ik in Darfur deden, waarom ik verslaggevers het land in bracht; alles wat ik kon bedenken en wat waar was. Hij zei dat ik zes keer met verslaggevers Darfur in was geweest. Over elke reis vertelde ik hem iets: wat we gezien hadden, de lijken, het verdriet van de mensen, de verschrikkelijke slachtpartijen die de regering onder de mensen had aangericht.

'Toen ik met de BBC was,' zei ik tegen hem, 'hebben we gezien dat jullie – ik weet niet of u erbij was, maar misschien ook wel – eenentachtig jongens en jonge mannen op een rij hebben gezet en met machetes dood hebben gehakt. Van die geur – het was drie dagen geleden gebeurd – werden de journalisten zo ziek dat ze naar een ziekenhuis in Tsjaad moesten, waar ze drie dagen hebben gelegen. Misschien doen jullie dat soort dingen graag. Journalisten nemen graag foto's van wat jullie doen, zodat iedereen kan zien wat het Soedanese leger het volk van Soedan aandoet. We hebben een grootmoeder gezien die samen met haar drie kleinkinderen verbrand was. Dus als u hier niet trots op bent, moet u ermee ophouden. Journalisten doen wat ze overal ter wereld doen en zij worden door niemand voor spion uitgemaakt.'

Het kan zijn dat ik dit iets eerbiediger gezegd heb, maar het zit er niet ver naast. Ik herinner me deze dag niet goed, door wat er daarna gebeurde.

'Ik zou me maar wat meer zorgen om mezelf maken als ik jou was,' antwoordde hij. 'Ik wil het volgende weten: toen je met de rebellen in de buurt van de grens met Tsjaad sprak – niet de rebellen die jullie tegen hebben gehouden – moet je gezien hebben met hoeveel mannen ze waren en wat voor wapens ze hadden. Ik laat je foto's van verschillende soorten auto's en verschillende soorten wapens zien en dan ga jij me vertellen wat je gezien hebt.'

'Ik heb u al gezegd dat ik geen spion ben, maar nu probeert u wel een spion van me te maken.'

'Vertel het nou gewoon maar. Help me met deze foto's. Doodsimpel.'

Ik vertelde hem dat we van de rebellen niet door hun kamp hadden mogen rijden en dat ik alleen maar wat oude Land Cruisers had gezien, en qua wapens alleen wat oude M14's en een paar heel oude kalasjnikovs. Bij de meeste foto's die hij me van wapens liet zien, zei ik dat ik niet dacht die gezien te hebben.

De aanvoerder geloofde me niet. Hij gebaarde naar de bewaker, die me met een dikke stok van ongeveer anderhalve meter lang begon te slaan. Vervolgens bewerkte hij me met zijn vuisten. Ik zei dat ze me dood konden maken, maar dat ik dan nog steeds niks over die wapens wist. Het slaan ging een hele tijd door. Ik werd terug naar de cel gesleurd en toen was Ali aan de beurt.

Toen ze hem meenamen, keek hij naar mijn kapotte gezicht. Hij vroeg of het heel erg zou worden. Ik gebaarde dat het niks voorstelde. Hij rolde met zijn ogen.

Even later kwamen ze me alweer halen, want ze hadden een tolk nodig. Ze wisten dat Ali in het leger van Tsjaad had gezeten, maar ze probeerden erachter te komen of hij bij de inlichtingendienst had gewerkt. Misschien was hij als spion hierheen gekomen. Waarom zou de zoon van een omda zo'n min baantje als chauffeur aannemen? Voordat ik binnenkwam, hadden ze hem al heel hard geslagen. Ik vertaalde hun vragen en Ali zei dat hij alleen maar mensen vervoerde en dat hij in het leger slechts een eenvoudige soldaat was geweest. Ze sloegen hem met de stokken, vooral op zijn armen en benen, rug en voetzolen. Op een gegeven moment zei ik dat ik niet meer vertaalde als ze hem bleven slaan. Ik hield mijn mond en ze schopten me en duwden me terug naar de cel.

Toen Ali zwaargewond op de grond lag, overal heel hard geslagen, kwamen ze me weer halen.

Ze zeiden dat ik verder moest tolken. Ik zei dat ik daarmee klaar was. Ik zei dat ik verder zou vertalen als ze hem niet meer sloegen. Ze zeiden dat ze hem zouden slaan als ik niet vertaalde.

'Jullie hebben hem bijna doodgeslagen. Ga maar door, dood hem maar, maar ik vertaal niks meer, tenzij jullie hem niet meer slaan.'

Toen brachten ze me weer terug. Ali werd even later ook in onze cel gesmeten, de arme man was nog maar half bij bewustzijn. Hij lag de hele nacht te kreunen.

De volgende ochtend werden we zomaar wakker. We dachten

dat het slaan afgelopen was, maar toen zagen we Paul zijn cel uit gaan. Vandaag was Paul aan de beurt, maar gelukkig behandelden ze hem beter dan ons. Toen we elkaar in de gang spraken, vertelde ik hem niet dat wij geslagen waren, want ik wilde het voor hem niet nog erger maken. Ze brachten Ali en mij naar buiten en bonden ons onder een boom vast. We hadden zoveel pijn dat we ons bijna niet konden bewegen. Paul werd later ook naar buiten gebracht; hij liep heel langzaam. Hij zag er zeer zwak uit en kon alleen maar naar beneden kijken. Zijn ogen lagen diep in hun kassen. Hij had zeven dagen lang alle voedsel geweigerd en geëist dat wij drieën herenigd werden. Hij wist heel goed dat onze situatie hopeloos was als hij er niet bij was. Nu mochten we dan weer bij elkaar zijn, maar hij weigerde nog steeds te eten tot ze ons vrijlieten. Ik was bang dat dit plan wel eens zijn einde kon betekenen.

Die avond probeerde ik met de bewakers te praten die voor onze getraliede deur stonden. Ik vroeg hun hoe het met Paul ging. Een van hen leek wel bereid te praten, dus wilde ik vriendschap met hem sluiten. Hij leek me wel een geschikte vent. Na een tijdje gaf hij me iets te roken en zei dat Paul er heel slecht aan toe was.

'Je hawalya gaat misschien wel dood,' zei hij. 'Tenzij je hem kunt overhalen weer te gaan eten.' Hij legde het probleem bij mij neer.

Ik dacht er een paar uur over na. Toen diezelfde bewaker na zijn maaltijd terugkwam, zei ik tegen hem dat ik Paul waarschijnlijk wel aan het eten kon krijgen, maar dat zij me moesten helpen. Even later kwam een aanvoerder me uit de cel halen. Onderweg naar de cel van Paul praatten we wat. Paul lag op een matras op een heus bed, niet op de grond. Het vertrek was niet smerig, er zat alleen geen raam in en het was heel oud, net als onze cel. Op de muren stonden namen van gevangenen uit koloniale tijden gekrast. Paul zag er verschrikkelijk slecht uit.

Waarom wilden de Soedanezen niet dat hij doodging? Dat is

een goede vraag. Misschien hadden ze geen zin in de problemen waarmee de dood van een bekende Amerikaanse journalist gepaard gaat. Maar ik weet niet zeker of deze mensen wel zo dachten. Ik denk dat het kwam doordat je aan Paul meteen zag dat hij een goed mens was en dat dat wat menselijke gevoelens bij hen losmaakte.

Ik had besloten Paul iets te vertellen wat niet waar was, alleen maar omdat hij heel koppig was en omdat dit het enige was waarmee zijn leven nog te redden viel. Ik zei tegen hem dat ze hem, als hij iets zou eten, naar zijn vrouw in de Verenigde Staten zouden laten bellen. Hij kwam half overeind en keek me aan.

'Is dat waar?'

Mijn hart brak, maar ik keek hem aan en zei dat het echt waar was. De aanvoerder achter me zei ook dat het waar was. Paul stemde ermee in om iets te eten.

De aanvoerder gaf een soldaat opdracht iets te eten voor hem te halen, maar ik zei dat het niet ons soort eten moest zijn, maar dat iemand de stad in moest gaan en een Amerikaans broodje voor hem moest halen, dat een blanke man kon eten, met een Coca-Cola of een Pepsi erbij. Er werd even gebakkeleid over dat dat te duur was, maar ik verzekerde de aanvoerder dat deze man van ons eten dood zou gaan en ik dacht echt dat hij niet sterk genoeg was om iets anders aan te kunnen dan zijn eigen soort eten. Dus werden er twee grote stukken stokbrood en lamsburgers gehaald. Toch wilde Paul nog niet eten. Hij gaf het eten aan Ali en mij en aan de twee monteurs. Paul hield pas op met vasten toen hij dat zelf wilde, een dag later, nadat ze hadden gedreigd hem anders met een slangetje te gaan voeden. Later realiseerde ik me dat Paul de truc had doorzien, maar ermee had ingestemd om eten voor Ali, de monteurs en mij te krijgen. Een goed mens.

25
Open huis in het martelcentrum

Vanaf dat moment werd het wat gemakkelijker voor ons. We konden met elkaar praten zonder daarvoor gestraft te worden.

Ik vertelde de bewakers over het leven in El Fasher. Mijn ervaringen als middelbare scholier leken erg op hun ervaringen als jonge soldaten in een vreemde omgeving. We waren het met elkaar eens dat de oorlog en de slachtpartijen een verschrikking waren. Sommige soldaten kwamen uit de Nubabergen, waar ze zelf ook verschrikkingen hadden doorstaan, door toedoen van de regering waar ze nu voor werkten. Het was stom dat de regering onze mensen heeft gedood, zeiden ze. 'Inderdaad,' beaamde ik. Het waren bange jonge mannen, met afschuwelijke verhalen. Ik luisterde. Ze gaven me sigaretten en ik opperde dat we veel beter als vrienden met elkaar konden praten als wij, de gevangenen, niet vastgebonden zaten. Dus maakten ze ons los en lieten ons naar buiten, zodat we van de koele avondlucht konden genieten. Ik vertelde hun zoveel ik kon over mijn familie, in de hoop dat ze anders zouden gaan denken, mochten ze er ooit nog op uit gestuurd worden om een dorp te verwoesten.

Het was een groot genoegen voor ons toen we mochten douchen en onze kleren mochten wassen. Ik kan u niet zeggen hoe we na al die dagen roken en hoe akelig onze kleren jeukten. Na een dag of zes ruik je jezelf niet meer, maar de anderen ruik je maar al te goed. Douchen was verrukkelijk. Paul, die herstellende was, mocht ook, en dat deed hem goed. Soms lieten ze ons 's nachts in het zand slapen, wat veel koeler was dan in die snikhete cel.

Op de tiende avond in El Fasher arriveerde er om een uur of negen een grote, gespierde kolonel van eind veertig bij de gevangenis en ik werd naar zijn kamer gebracht. Toen ik binnenkwam, deed hij zijn naamplaatje af en dekte het naambordje op zijn bureau af, waarschijnlijk omdat hij niet wilde dat zijn familie ooit boze vragen van de mijne zou krijgen, want daar is iedereen altijd bang voor. Dat hij dacht dat ik over hem kon vertellen en dus zou blijven leven, was een goed teken, maar dat kwam toen niet in me op. Nog steeds was ik er elke ochtend bij het wakker worden op voorbereid dat ik die dag zou sterven; er zou een of ander bevel komen dat de kleine vriendschappen die ons leven gemakkelijker maakten zou overvleugelen. We zouden naar buiten gebracht en doodgeschoten worden, en onze vriendelijke bewakers zouden het verdriet dat ze hierom hadden wegslikken en op de been blijven. Ze hadden wel erger verdriet te verduren gehad. Bij elke auto die aankwam was ik bang dat die het bevel zou brengen.

Deze kolonel was hoofd van de inlichtingendienst voor de westelijke delen van Soedan.

Ik keek naar de schaal met harde snoepjes in papier op zijn bureau.

'Neem er maar een,' zei hij, en dat deed ik ook.

'Luister, Daoud. Wat er met jou en je vrienden gaat gebeuren, ligt in jouw handen. Je hebt nog misschien drie uur, misschien zes uur met ons te maken. Dat zal blijken. Als je ons de waarheid vertelt blijven je vrienden en jij leven. Als je tegen ons liegt gaan jullie allemaal dood. Het is dus aan jou.' Dat zeggen ze natuurlijk tegen iedereen. 'Voor ik je vragen ga stellen, wil ik je iets van onze gastvrijheid laten zien. Deze bewaker leidt je even rond, zodat je je hier thuis voelt.'

Toen werd ik bij de arm genomen en door een aantal lange gangen gevoerd waar ik nog niet eerder was geweest.

In één kamer stond een grote stoel waar elektriciteitsdraden aan vastzaten. In een andere kamer stond een stoel met riemen en eromheen hingen allemaal medische posters: handige martelrichtlijnen voor het oog, de genitaliën, de neus, de spieren en zenuwen van handen, voeten, armen en benen. Op de muren waren afbeeldingen van ogen, oren en armen getekend om de bezoekers eraan te helpen herinneren hoe gemakkelijk die van het lichaam gescheiden konden worden. Overal stonden bladen met stalen gereedschap.

Er werd niemand gemarteld; het lag allemaal klaar voor mij en misschien voor mijn vrienden. De rondleiding duurde lang, ging langzaam en er werd niks overgeslagen. Daarna werd ik teruggebracht naar de stoel in de kamer van de kolonel. Hij rookte een sigaret en nam tegelijkertijd ergens een snuifje van.

'Goed, Daoud, wat heb je gezien?'

'Ik heb gezien hoe jullie mensen martelen en vermoorden.'

'Inderdaad. Wil je liever gewoon als vrienden onder elkaar praten en in deze kamer blijven?'

Gezien de omstandigheden zei ik tegen hem dat dat me een prima idee leek.

'Wil je plechtig op de Koran zweren dat wat je me gaat vertellen waar is?'

Ik zei dat dat me niet nodig leek, dat hij ervan op aankon dat ik de waarheid sprak en dat ik hun trouwens altijd al de waarheid had verteld. Maar ik zei dat ik niet kon praten, tenzij hij me één ding toestond.

Hij keek verbaasd. 'En wat mag dat wel zijn?'

Ik zei dat ik een sigaret nodig had. Hij lachte en schoof me er een toe, met een mapje lucifers erbij. Hij riep tegen de bewaker dat hij me warme thee moest brengen.

Hierna vertelde ik de kolonel gedurende anderhalf uur het lange verhaal over hoe ik Paul had leren kennen, over dat we onderweg gearresteerd waren: alles. Ik vertelde hem over mijn andere reizen met verslaggevers. Alles wat ik kon bedenken wat waar was. Ik wist dat zijn moordlustige leger niets aan deze informatie had.

Toen ik uitgepraat was, keek hij me vreemd aan.

'Meer heb je niet te vertellen?'

'Dit was alles.'

'Daoud, ik heb je gezegd wat er met de anderen gebeurt als jij liegt. En je bent een leugenaar.'

Ik zei dat ik niet wist wat hij bedoelde, dat ik hem alles had verteld wat ik me kon herinneren.

Hij gooide drie foto's op het bureau. Het waren foto's van mij met rebellensoldaten en rebellenaanvoerders.

'We weten alles over je. We weten hoe je moeder heet. We weten wie je neven en nichten zijn. Dus waarom zouden we niet weten dat je bij deze rebellen hoort?'

Ik legde uit dat dit foto's waren van reizen die ik met Philip Cox en de BBC en zo meer had gemaakt.

'Nou, daar heb je me dan niet alles over verteld, hè? Je hebt me niet verteld dat je deze rebellenleiders hebt ontmoet.'

'We hebben iedereen ontmoet. Het was voor de verhalen van die journalisten. De journalisten willen met iedereen praten, uit beide kampen.'

'Jullie hebben niet met mij gepraat. Jullie hebben niet met de aanvoerders van de regering van Soedan gepraat, toch?'

'Die zouden ons gedood hebben, vandaar dat we dat niet hebben gedaan. Maar we wilden het wel.'

Hij vroeg me waar deze rebellengroep zijn basis had, en wat voor wapens een andere rebellengroep had. Dat deed er allemaal niet toe, want dat soort dingen veranderen heel snel. Ik vertelde hem dezelfde zinloze dingen die ik de andere ondervragers had verteld. Land Cruisers. Kalasjnikovs. M14's. Ik wist niet waar ze hun basis hadden. Ik vertelde de kolonel dat we belden om te horen of we die kant op moesten of die kant, maar dat we niet vroegen waar hun basis was.

'En het schijnt dat de regering van Israël toen je in Egypte zat verzocht heeft om je niet naar Soedan te sturen. Waarom heb jij dat soort vrienden in Israël, spion?'

Ik legde uit dat ik geprobeerd had een goede baan te krijgen en dat dat verkeerd had uitgepakt.

Hij was niet blij met me, maar hij had het idee dat Paul me zou tegenspreken. Hij liet me naar een belendend vertrek brengen en liet mijn plaats innemen door Paul. Het was inmiddels heel laat op de avond. Ik hoorde dat hij Paul een hele tijd ondervroeg.

Ik moest weer binnenkomen.

De kolonel was boos, maar beheerst.

'Daoud, je vriend wil ons niets vertellen, tenzij hij met eigen ogen ziet dat jij in leven bent en het goed maakt. Dus nu mag hij je even zien. Nu wil hij ook Ali zien. Zeg tegen je hawalya dat Ali slaapt en het goed maakt.' Dat vertelde ik Paul.

'Zeg tegen Paul dat hij nu gaat praten.'

Ik zei tegen Paul dat hij pas moest praten als ze mij weer een sigaret gaven.

'Ja. Zeg dat maar.' Paul maakte een rookgebaar en wees op mij om de kolonel duidelijk te maken dat ik niet ten gunste van mezelf verkeerd vertaalde.

'Jullie zitten allebei in een heel gevaarlijke situatie. Jullie zijn in mijn kamer. Veel aanvoerders zijn als ze hier zitten zo zenuwachtig dat ze niet kunnen eten of drinken. En jullie vragen gewoon sigaretten alsof het niks is. Dat verbaast me ten zeerste.' Met die woorden gaf hij Paul zijn hele pakje sigaretten, en die gaf het weer aan mij.

'Ga wat thee voor Daoud halen,' zei hij tegen zijn bewakers, die er op een holletje vandoor gingen. 'Met suiker,' riep ik hun na.

Toen de thee en de suiker gebracht werden, stond ik met het blad in mijn handen op en zei dat ik, als hij het niet erg vond, even naar buiten ging om te roken en de thee op te drinken. Paul bleef achter om nog meer vragen te beantwoorden, waar de kolonel net zomin wat aan had. Toen ik alle thee op had, misschien wel tien kopjes of meer, zo lekker was hij, liet ik me door de bewaker terugbrengen naar mijn cel. Het was bijna van begin af aan duidelijk voor me dat de kolonel niet de macht had om ons te laten martelen of te laten doodschieten, want anders had hij dat al wel gedaan. Dit was zo te zien de laatste poging om ons aan het praten te krijgen, en daarna was de hechtenis voorbij. Dus konden we vragen wat we wilden en kijken wat hij dan zou doen. Ik denk dat hij wel een beetje blij was om eens met mensen te kunnen praten.

's Ochtends werden Paul, Ali en ik uit onze cel gehaald. De monteurs gingen een andere kant op. Ik zou hen niet meer zien en ook niets meer van hen horen, totdat ze later zouden opduiken om tegen ons te getuigen en ons te beschuldigen van spionage, ongetwijfeld onder onvoorstelbare druk. We werden naar een rechtbank in de stad gebracht, met onze handen op onze rug gebonden.

Onze zaak werd van de militaire aan de civiele rechtbank overgedragen. Dat kon goed zijn, maar ook slecht. Heel bijzonder was dat achter in de rechtzaal vier Amerikaanse soldaten in uniform stonden: een marinier, twee legerofficieren en een luchtmachtofficier. Ik had de indruk dat er raderen voor ons in werking waren gesteld. De vrouw van Paul was natuurlijk in Washington als een bezetene bezig geweest om hulp voor ons te regelen. Maar moest je die kerels nou eens zien. Mijn hemel, u hebt geen idee hoe ze op ons overkwamen. Ze kwamen even naar ons toe en Paul was enorm aangeslagen toen hij hen zag. Dat emotioneerde de officieren weer en iedereen stond in zijn ogen te wrijven.

Afhankelijk van hoe je situatie in de wereld ervoor staat zijn Amerikaanse soldaten niet altijd wat je het liefst wilt zien, maar voor het eerst in lange tijd dacht ik dat ik die dag misschien niet dood zou gaan. Ik dacht niet dat het gevaar geweken was. Ik wist dat Paul misschien met deze officieren de deur uit zou lopen en dat Ali en ik door een andere deur naar de galg zouden worden gebracht. Maar misschien ook niet. In elk geval vandaag niet, niet met die kerels achter in de zaal die naar ons stonden te glimlachen en te knipogen. Het goede Amerika was in de zaal aanwezig.

26
De hawalya

De aanklacht tegen ons werd voorgelezen. Ik beaamde dat ik met journalisten had samengewerkt en dat ik het land zes keer illegaal binnen was gegaan. Ali gaf toe dat hij het land één keer met een journalist binnen was gegaan.

Toen was Paul aan de beurt. Hij liep naar voren. Een soldaat van de Afrikaanse Unie begon de aanklacht tegen hem te vertalen, maar Paul zette de gang van zaken stil.

'Ik heb mijn eigen tolk. Laat meneer Daoud Hari alstublieft terugkomen,' zei hij.

Het was even stil in de rechtzaal, maar toen deed men wat hij vroeg.

De aanklacht tegen Paul sloeg nergens op. Hij had van internet een kaart van Soedan geprint, van de populaire openbare website World Factbook van de CIA. Dus dat hij een spion van hen was was wel duidelijk. Dat soort dingen.

Nadat Paul al deze beschuldigingen van de hand had gewezen, werden we teruggebracht naar een gevangenis, maar deze keer een andere, civiele gevangenis. Die was veel erger dan de militaire, maar dat interesseerde ons nu niet meer. De mensen wisten van ons bestaan, belangrijke mensen. We kregen te horen dat het Congreslid Chris Shays de dag ervoor in El Fasher was geweest om bij de gouverneur naar onze zaak te informeren. De Amerikaanse ambassade in Khartoum was druk voor ons bezig. We werden overgedragen aan de civiele rechtbank, en dat was heel goed nieuws. Het wonder achter dit bericht was dat Pauls vrouw en een paar andere mensen in Amerika dit samen voor elkaar hadden gekregen. De vele verslaggevers met wie Paul bevriend was belden naar machtige mensen. Verslaggevers met wie ik had samengewerkt uit de Verenigde Staten, Afrika, Frankrijk, Duitsland, Japan en andere landen oefenden druk uit. En dat kwam allemaal nog eens boven op wat het personeel van de Amerikaanse ambassade deed.

Paul maakte een blije indruk na het optreden in de rechtszaal, maar hij was niet blij met mij. Om redenen die ik niet begreep was hij boos op me. Het wilde me maar niet duidelijk worden, dus besloot ik me later over dit probleem te zullen buigen.

Ik praatte veel met de bewakers. Ze zeiden dat we groot nieuws waren. Ze gaven me een regionale krant met de kop DRIE GROTE SPIONNEN GEPAKT. Ik vroeg de bewakers of ze dachten dat dat waar was, en ze moesten lachen. Ik regelde dat we een mobiele telefoon mochten gebruiken, zodat Paul zijn vrouw kon bellen. Daar stond tegenover dat Paul zijn horloge moest inleveren, dat hij nog steeds had. Dit was een belangrijk moment. Hij zocht voor dit gesprek een hoekje van de cel op en was erg geëmotioneerd. Ik gebruikte de telefoon later om een neef te bellen; ik vroeg hem of hij contact op wilde nemen met mijn moeder en eventuele broers en zussen die nog in leven waren. Ik vroeg of hij hun wilde vragen om niet aan mijn vader te vertellen dat ik in de gevangenis zat. Hij zou zich door gevaarlijk gebied heen naar mij toe begeven. Hij moest blijven waar hij was, veilig verscholen.

Ik piekerde er de hele tijd over waarom Paul zo kil en boos

tegen me deed. Dus vroeg ik hem naar de reden.

'Je hebt tegen die mensen gezegd dat ik een spion ben. Dat zeg je de hele tijd als je in talen spreekt die ik niet versta. Ik begrijp niet waarom je dat doet; ik kan er jaren voor in de gevangenis belanden.'

Ik was met stomheid geslagen. Ik ging op de vloer van de cel zitten om na te denken. Toen stond ik weer op en begon te ijsberen en probeerde erachter te komen wat hij bedoelde. 'Wat voor woord bedoel je dan? Wat voor woord gebruik ik om te zeggen dat je een spion bent?' vroeg ik.

'Hawalya,' zei hij.

'Lieve hemel, Paul, dat betekent gewoon "blanke man",' probeerde ik uit te leggen. Maar hij dacht er anders over. Hij was misschien ook nog een beetje van slag over de informatie over Israël en Egypte uit mijn verleden, waar ik hem niet over had verteld toen we elkaar hadden leren kennen.

De Amerikaanse officieren onderbraken mijn vragen naar dit misverstand. Ze brachten ons dekens en slaapzakken, cola en hamburgers van geitenvlees. De blijdschap overvleugelde onze probleempjes.

Laat op de avond kwam de procureur-generaal om de aanklachten tegen Paul bij te stellen. Hij liet ons ook losmaken; iemand had bevolen dat onze polsen zoals vanouds vastgebonden moesten worden.

De procureur-generaal zei tegen de bewakers dat ze de hawalya moesten losmaken.

Paul sprong op: 'Waarom noemt u me een spion? U weet best dat ik geen spion ben.'

De procureur-generaal wees hem met een glimlachje terecht.

'Hawalya? Meneer, dat betekent... Nou ja, dat betekent gewoon "blanke". Een blanke man. Het is een goed woord, bijna liefdevol.'

Paul keek als iemand die een dierbare broer thuis ziet komen nadat hij heel lang weg is geweest. Hij kwam naar me toe, bood zijn verontschuldigingen aan en we lachten.

'Je bent mijn broer,' zei ik tegen hem. 'Ik zou nooit iets zeggen om jou kwaad te doen.' Hij schudde me bij mijn schouders heen en weer, deed zijn ogen dicht en zei dat hij dat wist.

In het uur daarop maakte hij een betere indruk dan in al die tijd sinds hij weer was gaan eten.

Het was een heel goede dag geweest, als je bedacht dat ons alle drie vijftien à twintig jaar in een zeer strenge gevangenis te wachten stond. Maar wat is er belangrijker dan vriendschap, familie niet meegerekend?

De procureur-generaal zei tegen Paul dat zijn zaak apart behandeld zou worden, niet samen met de onze. Dat was gemakkelijker. Paul keek naar Ali en mij.

'Vergeet het maar. Dat gaat niet gebeuren, neemt u dat van mij aan,' zei Paul tegen de man. 'Wij eisen dat we gezamenlijk berecht worden. Ik zal mijn land vragen om daarop te staan.'

Op dat moment wisten we echter niet dat zich brieven van grote sterren als Bono en van beroemde leiders als Jimmy Carter en Jesse Jackson op het bureau van deze man opstapelden, kopieën van brieven die naar president Bashir waren gestuurd. Zelfs het Vaticaan had een brief geschreven, en de regering van Frankrijk. Toen ik daar een paar dagen later over hoorde, hoopte ik maar dat Bashir postzegels verzamelde, want dan kon hij zich in de handen wrijven. De procureur-generaal keek boos, maar wilde uiteindelijk wel met dit verzoek instemmen. Ik wist dat Paul op deze manier ons leven redde, als dat al gered kon worden. Van de rebellen en van het leger had hij hetzelfde geëist en daarmee had hij ons al drie keer gered.

Het was fijn dat Paul en ik onze ruzie hadden bijgelegd. In tijden van gevaar is niets belangrijker dan vriendschap. Wat ik toen nog niet wist was dat de Soedanezen de Amerikaanse consul vertelden dat over Pauls zaak wel gepraat kon worden, maar dat de twee Soedanese mannen die samen met hem gevangengenomen waren louter en alleen een zaak van Soedan waren. Het had voor de hand gelegen dat Ali en ik op dat moment waren verdwenen, ware het niet dat Paul anders had geëist.

Ik kon die nacht niet slapen en stelde me voor dat Ahmed bij me op bezoek kwam. Hij kende natuurlijk alle bewakers en ze zouden blij zijn om hem te zien, bedacht ik, en ze zouden alle deuren openzetten, zodat we een wandeling door El Fasher konden maken, zoals we vroeger hadden gedaan toen ik op school zat, net als wanneer hij gedroomd had dat ik ziek was, wat ook zo was, en hij naar me toe kwam.

Het was heerlijk om me zo voor te stellen dat ik met hem door onze oude stad liep. Ik heb het gevoel dat ik sinds hij is gedood zelf als een dode heb geleefd. Maar ik keek de cel rond en besloot dat ik nu nieuwe broers had en dat ik vrolijker over de dingen moest gaan denken.

Misschien is de gevangenis voor mij wel dé plek om na te denken. In de Egyptische gevangenis realiseerde ik me dat ik niet zo afgesneden van mijn familie moest leven. Nu zag ik het hele familiegebeuren in veel bredere zin.

Mijn hele leven lang had Ahmed altijd een grote stap voor me uit gelopen. Tijdens mijn dagdroom was dat nog steeds zo.

Toen ik de volgende ochtend de bewakers zag, dacht ik: o ja, het deel van mij dat op Ahmed lijkt zorgt ervoor dat ik heel snel vrienden maak. Ahmed heeft op die manier meerdere malen mijn leven gered. En als ik na alles wat ik heb meegemaakt nog iets van vreugde mag kennen, zal dat ook iets van hem zijn, want als je echt iets voor je volk wilt betekenen, moet je van het leven houden zoals Ahmed ervan hield.

Toen ik met mijn eerste verslaggevers, de Afrikaanse journalisten, terugging naar Darfur, werd mij gevraagd waarom ik dat risico nam en ik vertelde hun, zonder al te theatraal te willen doen, dat ik niet veilig was omdat mijn volk niet veilig was, en hoe kun je nu zelf veilig zijn als je volk dat niet is? Dus wie zijn dat, je volk? Misschien is iedereen dat wel. Daar dacht ik nu over na.

De volgende dag zouden we naar de allerergste gevangenis gebracht worden, in afwachting van onze rechtszaak. De Amerikaanse officieren zeiden dat een Amerikaan in die gevangenis slecht behandeld was en dat een Sloveense journalist er in elkaar geslagen was. Dus maakten ze bezwaar tegen de overplaatsing. Er werd geregeld dat we in een afdeling van het gerechtshof zouden kunnen verblijven. De Amerikaanse officieren brachten allerlei spullen om het vertrek comfortabel te maken. Ze smokkelde ook een paar kleine mobiele telefoons naar binnen voor het geval we in het geheim verkast werden, die moesten we verborgen houden. Ze brachten ook wat boeken en een kleine dvd-speler met afleveringen van *Seinfeld.* Ik kende dat programma niet, maar het was heel grappig, vooral de manier waarop Kramer altijd door een deur naar binnen komt. Ali wilde niet kijken. Hij wist zeker dat we elk moment weggehaald konden worden en opgehangen of doodgeschoten zouden worden, en elke nieuwe dag beschouwde hij als de dag waarop dat kon gebeuren. Telkens als er nieuws kwam sprong hij op.

National Geographic zette drie advocaten op onze zaak en belde elke dag, net als de Amerikaanse viceconsul in El Fasher. Dit duurde twee weken en nog steeds sleepte onze zaak zich voort. Hoe lang was het nu geleden dat we bij de wegversperring opgepakt waren? Zo'n vijf weken.

Toen kwam er groot nieuws. Na een goed gesprek klapte Paul zijn telefoontje dicht.

'Richardson!' zei hij.

Ik wist niet wie Richardson was.

'Bill Richardson, gouverneur van New Mexico, waar ik vandaan kom. Hij wordt door de VS gestuurd om te onderhandelen, en hij is heel erg goed. Hij kent president Bashir. Hij komt ons helpen. Richardson is onderweg naar Khartoum.'

Op de dag dat we dachten dat Richardson bij ons langs zou komen, kwam daarentegen de vrouw van Paul. Ik zal u niet vertellen hoe heerlijk dat voor hen allebei was, en trouwens ook voor Ali en mij. Dat verhaal moeten ze zelf maar vertellen, maar het was echt te mooi voor woorden. Ze liepen samen over het ommuurde terrein van het gerechtsgebouw.

Die avond werd op het openbare stuk voor het gebouw, waar wij goed zicht op hadden, een man gegeseld vanwege een overtreding van de sharia-wet. Even verderop was eerder die dag al een vrouw heel zwaar gegeseld. Haar misdaad bestond eruit dat ze een gefermenteerde drank had gemaakt en die in potten had verkocht om in haar levensonderhoud te kunnen voorzien. Ze geselden haar vijfentwintig minuten lang, totdat ze bewusteloos was.

We wisten weer waar we waren en we wisten weer wat we moesten doen.

'Jullie moeten nu ergens heen,' vertelde een bewaker ons op de vijfendertigste ochtend van onze beproeving.

We werden in een felrode Land Cruiser naar een groot landhuis gebracht, het huis van de gouverneur van El Fasher, en naar binnen geleid. Een andere gouverneur, meneer Bill Richardson, schudde ons de hand en omhelsde ons. Ik bedankte hem voor wat hij deed. Fotografen namen foto's.

Later bleek dat we naar huis gingen.

Ik omhelsde Ali, maar hij keek me ernstig aan en zei dat we nog lang niet in Tsjaad waren en dat we ons niet voor zulke foto's moesten laten gebruiken, want dat ze ons zouden doodmaken zodra de Amerikanen weg waren. Ik kuste hem toch maar op de wangen.

De militair gouverneur van El Fasher opperde tegenover Richardson dat Daoud en Ali misschien een week in dit huis bij hem te gast konden zijn. Ik zei: 'Heel erg bedankt, maar ik geloof dat we beter terug kunnen gaan.' Gouverneur Richardson knipoogde even alsof hij wilde zeggen: 'Verstandig antwoord.'

We vlogen met het kleine vliegtuig van Richardson naar Khartoum. Ali was doodsbang om naar Khartoum te gaan, want daar kon de regering van Soedan nog een laatste poging wagen om ons gevangen te nemen en dood te schieten. Hij moest een paar keer overgeven, vlak naast gouverneur Richardson, maar die vond dat niet erg.

27
Een kans van 1 procent

Een vlucht vanuit Khartoum bracht ons via Addis Abeba, Ethiopië, eindelijk in Ndjamena. In het vliegtuig kon ik me ontspannen. Ali hield de positie van het toestel echter goed in de gaten. Konden de Soedanezen het niet weer in Khartoum aan de grond zetten, nu de Amerikanen weg waren? Wat hield hen tegen? Het lukte me niet hem gerust te stellen. Zelfs toen het toestel boven Ndjamena rondcirkelde was hij nog gespannen en verwachtte hij dat we op grond van een of ander lastminuteprobleem teruggestuurd zouden worden. Toen het vliegtuig rollend tot stilstand kwam, wist hij niet hoe snel hij eruit moest komen. Op het asfalt bleef hij staan om de dampende lucht in te ademen. Hij draaide zich naar me om. 'Humdallah. We zijn thuis,' zei hij met een glimlach. Sinds hij dacht dat onze helikopter zou neerstorten, had ik hem niet meer zien glimlachen.

We werden begroet door nationale veiligheidsfunctionarissen van Tsjaad. 'Komt u met ons mee,' zeiden ze. Na drie uur lang intensief ondervragen lieten ze Ali vrij en zeiden tegen mij dat ik in de gevangenis moest blijven tot er duidelijkheid was over mijn situatie. Een vriend van me die bij de overheid werkte wist hen ervan te overtuigen dat ze me naar mijn eigen kamertje lieten gaan, dat nog steeds op me wachtte. Het was heerlijk om op mijn eigen matras te kunnen gaan liggen. Een wonder.

De lemen muur van mijn kamer had me altijd doen denken aan de grotten die wij als kind in onze berg, het Dorp van God, verkenden. De scheuren in mijn lemen muur leken net tekeningen. Thuis zitten er tekeningen van duizenden jaren oud in de grotten. Je hebt daar een binnengrot met een koele waterplas erin, waar de kinderen op warme dagen kunnen gaan zwemmen. De grot is jaren geleden ontdekt door de Hongaarse man die ook de Grot van de Zwemmers heeft ontdekt, net over de grens van Darfur in Egypte. Over hem gaat de film *The English Patient*. Hij was de enige vreemdeling die onze grotten is komen bekijken, voor zover wij weten. De grotten zijn er natuurlijk nog steeds. Met afbeeldingen van vee met lange hoorns en met alle wilde dieren van Afrika, met vrouwen, mannen en kinderen. Het hele leven. Ik heb zoveel nachten in deze kamer gelegen, naar deze lemen muur gekeken, ben hier zo vaak wakker geworden en heb hier mijn eigen onbeholpen tekeningen gemaakt van de taferelen die ik uit mijn hoofd moest zien te krijgen. Verleden tijd. Verleden tijd. Verleden tijd. De mensen. Het meisje. De vrouw. Het kind dat zwaaide.

De daaropvolgende maanden zou ik nauwlettend in de gaten gehouden worden door de veiligheidsfunctionarissen van Tsjaad; een paar keer per week moest ik me melden voor ondervraging, en tijdens die sessies werden de functionarissen steeds kwader op me. Ze dreigden me terug te sturen naar Soedan in ruil voor een gevangene. Soedan zei tegen hen dat ik een spion was die de rebellen hielp om een nieuwe aanval op Ndjamena voor te bereiden. Ze hebben me een keer geslagen, waardoor mijn kaak was opgezwollen en twee keer zo dik was. Ik zei tegen mijn vrienden dat ik gevallen was, want als zij wisten dat ik door de nationale veiligheidsdienst in de gaten gehouden werd, zouden ze zich niet meer met me inlaten. Een goede vriend van mij die bij de overheid werkte vertelde dat er de komende paar weken verschillende groepen gevangenen uitgewisseld zouden worden en dat ik waarschijnlijk in de derde groep zou zitten.

Ondanks het feit dat Tsjaad en Soedan maar wat graag met elkaar over mij leken te spreken, waren ze bijna weer in oorlog met elkaar. 'Rebellen' die in feite afgevaardigde soldaten voor Soedan waren, verzamelden zich in Tsjaad; ten oosten en zuidoosten van Ndjamena werd zwaar gevochten, want iedereen dacht dat daar binnenkort een aanval zou komen. De brug naar Kameroen stond barstensvol mensen; er liepen families met dieren en beladen met bepakking in alle soorten en maten; claxonerende auto's en bussen met huisraad op het dak gestapeld dat vanuit de raampjes vastgehouden werd baanden zich een weg door de mensenmassa over de brug heen. De rivier lag vol met veel te zwaar beladen boten. De meeste winkeltjes in de stad waren dicht en het geluid dat de boventoon voerde was dat van luiken die voor de ramen werden gespijkerd.

Rond deze tijd bereikte mij het bericht dat mijn vader was overleden. Hij had gehoord dat ik in de gevangenis zat en kon niet meer eten. Tegen de tijd dat ik vrij was, was het voor hem al te laat. De rebellen die geen rebellen waren zouden weer oprukken naar Ndjamena. Mijn vrienden in de regering lieten me weten dat ik binnen niet al te lange tijd door Tsjaad gearresteerd zou worden en in ruil voor een spion aan Soedan zou worden uitgeleverd. Megan belde uit New York en zei dat ze zou helpen. Een mensenrechtenadvocaat uit Washington belde me toen hij van haar een e-mail had ontvangen. Toen de rebellen weer in de buurt van de stad waren, was ik met hem aan de telefoon. Ik overwoog om de kleine brug naar Kameroen over te steken, maar Chris, de advocaat, zei dat ze met de Amerikaanse ambassade en het vluchtelingenbureau van de VN bezig waren om mij daar weg te krijgen, misschien naar de Verenigde Staten, waar ik mijn werk op een andere manier kon voortzetten en waarvandaan ik ooit naar mijn land kon terugkeren wanneer mijn volk ook terugkeerde. Ik vertelde hem dat de rebellen over een uur in de stad konden zijn en dat dat wel eens slecht voor mij kon uitpakken. Ik zei dat de veiligheidsdienst van Tsjaad me elk moment kon arresteren. Hij zei dat alles juridisch gezien verloren zou zijn als ik de brug overstak. Ali's familie dreigde me gevangen te laten zetten als ik niet voor de truck kon betalen, een dure truck. *National Geographic* zou daar ooit een cheque voor sturen. Ik beëindigde mijn gesprek met Chris, klapte mijn telefoontje dicht en zei tegen mezelf: nou goed, ik geef die vriendelijke mensen ongeveer 1 procent kans dat ze me op tijd kunnen helpen. En toen realiseerde ik me dat dat voor mij eigenlijk al heel mooi was. En het was genoeg.

Uit Afrika weggaan is natuurlijk niet gemakkelijk. Zelfs toen ze me snel uit Ndjamena hadden weggehaald moest ik in Ahana nog door de binnenlandse veiligheidsdienst van de Verenigde Staten ondervraagd worden en op nog meer documenten wachten. Door een vergissing belandde ik in de gevangenis: nog langer wachten. Eindelijk brak de dag aan. Ik stond boven aan een trap boven het asfalt, keek uit over Afrika en ademde de lucht diep in, want ik moest er een hele tijd mee doen. Ik ging nu op andere manieren proberen om het verhaal wereldkundig te maken en ervoor te zorgen dat de mensen in vrede terug konden naar hun huis in Darfur. Wat kan één mens uitrichten? Vrienden maken natuurlijk, en doen wat je kunt.

Dankwoord

Dat u dit boek in handen hebt is te danken aan het feit dat de uitgevers Jonathan Jao en Jennifer Hershey van Random House een keer iets over mijn verhaal hadden gelezen in een column van Nicholas Kristof in de *New York Times.* Dus als u die mensen kent, moet u hen bedanken wanneer u hen ziet, zoals ik u nu bedank. Ik wist niet hoe ik een boek moest schrijven, maar mijn vrienden zeiden: 'Maak je geen zorgen, Daoud, wij helpen je wel.' En dat deden ze ook. Dus Megan en Dennis, heel erg bedankt. En ik bedank ook Gail Ross en Howard Yoon, respectievelijk een literair agent en een literair uitgever in Washington, die zo vriendelijk zijn geweest mij advies te geven.

Dat u dit boek in handen hebt komt in de eerste plaats doordat ik in leven was om het te kunnen schrijven. Daarvoor gaat mijn dank uit naar Philip Cox, Paul Salopek en zijn vrouw Linda Lynch, advocaat Christopher Nugent uit Washington, de fantastische mensen van de Amerikaanse ambassades in Soedan, Tsjaad en Ghana, Lori Heninger, Jack Patterson, Megan McKenna (alweer!), Nicholas Kristof en de verslaggevers over de hele wereld met wie ik bevriend ben, mijn vrienden in Caïro en een oude cipier in Aswan, mijn neven en nichten in Afrika, de Verenigde Staten en Europa,

Christopher Shays uit Connecticut, Bill Richardson uit New Mexico, wijlen mijn vader en wijlen mijn broer Ahmed, al mijn vrienden in Afrika, van wie ik hoop dat sommigen mij zullen vergeven dat ik hen alleen bij hun bijnaam noem, maar dat doe ik om hen te beschermen. Hoe kan ik in één leven de zegeningen van al deze vriendschap beantwoorden?

Als ik ervan uit mag gaan dat er een soort vriendschapsband tussen ons bestaat, mijn vriend de lezer, dan wil ik u vragen om er eens aan te denken dat er, terwijl ik dit vanavond schrijf, en waarschijnlijk ook terwijl u dit leest, nog steeds mensen in Darfur vermoord worden en er nog steeds mensen in de kampen er slecht aan toe zijn. De wereldleiders kunnen dit probleem oplossen en de mensen van Darfur kunnen terug naar huis als de leiders merken dat er over de hele wereld mensen zijn die dit zo erg vinden dat ze er met hen over praten. Dus als u er de tijd voor hebt kunt u dat misschien doen. Want het heeft geen zin om risico's te nemen voor krantenartikelen als de mensen die ze lezen vervolgens geen actie willen ondernemen.

Daoud Hari
Januari 2008

Een handleiding voor Darfur

De situatie in Darfur kan heel verwarrend zijn als je niet over wat extra informatie beschikt. Als u Soedanees was en met uw vrienden in een openluchtcafé of aan de universiteit over politiek sprak, zou u het volgende moeten weten.

Toen de Engelsen in 1956 uit Soedan vertrokken, stelden ze een regering in van een kleine Arabische minderheid die over een voornamelijk niet-Arabische Afrikaanse bevolking moest regeren.

De inheemse Afrikanen waren in 1955 al in opstand gekomen, het jaar voordat de onafhankelijkheid werd uitgeroepen. De oorlog, die voornamelijk in het zuiden woedde, duurde tot 1972, toen er een vredesakkoord kwam en het zuidelijk deel van Soedan beperkt zelfbestuur kreeg. Daartoe werd een Zuidelijke Regionale Assemblee ingesteld, en die zou toezicht houden op de verwachte olieopbrengsten van de velden die toen net door Chevron in het zuiden waren ontdekt.

In 1983, na tien jaar van vrede, verklaarde de president van Soedan, Gaafar Nimeiri, dit akkoord nietig, hij ontbond de Zuidelijke Regionale Assemblee en stelde overal het federale bestuur in. In heel Soedan zouden nieuwe districten door militaire gouverneurs bestuurd worden. De federale overheid in Khartoum zou toezicht houden op de olieopbrengsten, die overigens nog op zich lieten wachten.

Al snel vormden zich weer rebellengroepen. Om alles nog erger te maken bepaalde Nimeiri dat de wrede islamitische sharia-wetgeving in heel Soedan van kracht zou worden en zelfs voor niet-islamitische burgers in het zuiden zou gelden. Deze wetgeving schreef voor dat bij een kleine diefstal de hand moest worden afgehakt, dat vrouwen gestenigd moesten worden, alsmede vele andere wreedheden. Hier werd het volk, dat anders heel gematigd is, heel kwaad over, en de rebellen ook, die nu drie punten hadden: terugkeer naar een seculiere overheid, geen sharia-wetgeving; betere vertegenwoordiging voor inheemse Afrikanen, vooral in het zuiden; een eerlijk lokaal aandeel van de verwachte oliewelvaart, waaronder banen in de olie-industrie, en meer scholen, wegen en ziekenhuizen.

Deze politieke woede vond aansluiting bij de woede over de honger, want dit waren jaren van ernstige hongersnood in Afrika. In het voorjaar van 1985 werd Nimeiri bij een opstand uit het zadel gewerkt en kwam er na verkiezingen een parlementaire regering, geleid door de gematigde Sadiq al-Mahdi. Hij schafte de sharia-wetgeving af, hoewel die door bepaalde lokale Arabische bestuurders nog wel gehandhaafd werd. Doordat de sharia-wetgeving nog steeds niet helemaal verdwenen was, en doordat andere politieke kwesties inzake vertegenwoordiging nog niet helemaal geregeld waren, ontbonden de rebellengroepen zich nog niet.

Er volgden vier gespannen jaren. De olievelden konden in die tijd niet in bedrijf genomen worden, want rebellen bleven zo af en toe aanvallen en daardoor had Chevron zich teruggetrokken. Soedan, dat gebukt ging onder een zware schuldenlast uit de tijd van Nimeiri, kon zijn leningen niet terugbetalen en werd door het Internationaal Monetair Fonds van verdere hulp afgesneden. Soedan wilde een grote speler op het olieveld worden, maar was nog steeds een arm land tussen de Arabische regeringen. Dus kwam Mahdi met een nieuw vredesakkoord dat de sharia-wetgeving verder moest terugdringen en misschien ook het zelfbestuur in het zuiden zou herstellen. Dan kon de olieproductie verder voortgang vinden.

Vlak voor de conferentie werd Mahdi uit het zadel geworpen en door een militair machthebber verbannen, namelijk generaal Omar Hassan Ahmad al-Bashir, die nu nog steeds aan de macht is. Hij stelde de uitbreiding van de sharia-wetgeving weer in, verbood kranten en politieke partijen van de oppositie, en zette dissidenten gevangen. Dit was voor iedereen een enorme schok. Ik zat in die tijd op de middelbare school en iedereen wilde ertegen in het geweer komen.

Onder de sharia-wetgeving van Bashir kan een vrouw vandaag de dag het land niet uit zonder schriftelijke toestemming van haar vader of echtgenoot. Mannen en vrouwen moeten in de bus in een apart gedeelte zitten. Het leger is ontdaan van ongelovigen. Het juridische personeel van de overheid en de rechtbanken zijn gezuiverd van mensen die de agenda van Bashir en zijn religieuze rechtse broederschap onvoldoende aanhangen. Verkiezingen verlopen corrupt. Mannen en vrouwen zijn voor de meest onbenullige en niet-bewezen misdrijven wreed mishandeld. Er verdwijnen mensen.

Bashir heeft het olieprobleem op zijn eigen manier opgelost, net zoals hij later het Darfur-probleem zou oplossen. Tijdens de twee vorige regeringen werden er veel Arabische nomaden overal in het zuiden bewapend met automatische geweren om de olievelden tegen aanvallen van rebellen te verdedigen, zij het zonder succes. Begin jaren 1990 liet Bashir deze nomaden los op de niet-Arabische dorpen, waarbij meer dan 2 miljoen mensen zijn gedood.

Jongens die ver van hun dorp hun dieren aan het hoeden waren, waren de enigen die het overleefden. Bij thuiskomst troffen ze hun vader dood aan, hun moeder en zussen verkracht en gedood, of ze waren verdwenen in de slavenhandel. Deze jongens zijn na een ongelooflijk zware reis in Ethiopië en andere landen terechtgekomen, onder andere ook in de Verenigde Staten, en ze worden nog steeds de Verloren Kinderen van Soedan genoemd. Zo is de Soedanese regering dus. Zo is Bashir.

Gemeenschappen in de Verenigde Staten, in Engeland en elders in Europa hebben duizenden van deze jongens opgenomen en hen geholpen een nieuw leven op poten te zetten. Dat mag niemand vergeten, moslim of geen moslim.

Bashir sloot vriendschap met Osama bin Laden en andere islamitische radicalen, die vervolgens opleidingskampen in Soedan begonnen. Hij droeg de olievelden over aan de Chinezen, die hun eigen beveiligingsmensen en wapens meenemen naar de inmiddels ontvolkte gebieden. Echt een uitstekend voorbeeld van economische ontwikkeling zonder verzet en zonder dat men de opbrengst hoefde te delen.

Nog even over de hongersnood, want de weersveranderingen lijken inmiddels van blijvende aard te zijn. Nomadische Arabieren en de inheemse Afrikaanse stamleden met een meer permanente verblijfplaats merkten vanaf 1985 dat de concurrentie om dezelfde grassprietjes voor hun dieren en dezelfde waterdruppels in de putten steeds groter werd. Arabieren trokken naar het zuiden, het gebied van de Zaghawa in; sommige Zaghawa trokken nog verder naar het zuiden, het stamgebied van de Massalit en de Fur in.

De weersverandering heeft een probleem tussen stammen tot gevolg gehad, en Bashir weet dat een van zijn voorgangers zijn macht door de hongersnood is kwijtgeraakt. Diep onder Darfur liggen gigantische zoetwaterreservoirs. Als ze ervoor kunnen zorgen dat de inheemse mensen verdwijnen, kunnen er Arabische boeren op het land komen en kunnen er prachtige landbouwbedrijven tot bloei worden gebracht. Soedan en Egypte hebben het zogenoemde 'verdrag van de vier vrijheden' ondertekend, waarmee Egyptische Arabieren in de gelegenheid worden gesteld om zich in Darfur en andere gebieden van Soedan te vestigen. Nieuwe landbouwbedrijven zijn een prachtig idee als het water verstandig gebruikt zou kunnen worden en niet in één keer verbruikt wordt, maar waarom kunnen die bedrijven en boeren zich niet ontwikkelen náást de dorpen van mijn teruggekeerde volk? Als de traditionele mensen dit water hadden mogen oppompen, wat niet het geval was, waren er ook landbouwbedrijven en voedsel voor Soedan gekomen.

De afgelopen jaren heeft de Arabische overheid de Arabische identiteit ten koste van de nationale Soedanese identiteit gepromoot. Arabische en inheemse Afrikanen hebben het in Soedan al duizenden jaren goed met elkaar kunnen vinden. Zelfs in mijn eigen jeugd zaten we bij elkaar in de tent en hut aan feestmalen aan. Elke ruzie die niet door onderhandelingen van de oudere stamleden kon worden bijgelegd, werd beslecht in een ritueel gevecht dat ver van het dorp werd gehouden, zodat vrouwen, kinderen en oude mensen er geen last van hadden. Bovendien zijn er onderling zoveel huwelijken gesloten dat je vaak het verschil niet ziet tussen de Arabieren en de inheemse Afrikanen. Bijna iedereen, zeker in de noordelijke helft van Soedan en in het grootste deel van Darfur, is moslim, dus er zijn ook geen religieuze verschillen. Maar door het tromgeroffel van de Arabische superioriteit is het hart van de Arabieren van dat van hun inheemse Afrikaanse buren verwijderd geraakt. Dat zou ons eraan moeten helpen herinneren wat er in Rwanda is gebeurd.

De overheid ontmoedigde onderhandelingen tussen ouderen

om stammenconflicten op te lossen ten zeerste. De Arabieren kregen in plaats daarvan wapens en militaire steun om ze op te lossen. De Arabieren werden door de regering zwaarbewapend, maar de niet-Arabische dorpen in heel Soedan moesten al hun wapens inleveren of vernietigen. In Darfur heeft het sinds de jaren tachtig in de twintigste eeuw gewemeld van de automatische wapens, toen kolonel Muammar Gaddafi van Libië Darfur als uitvalsbasis voor zijn aanvallen op Tsjaad gebruikte in een poging om naar het zuiden uit te breiden. De Darfuri's, zowel Arabieren als Afrikanen, zijn goede handelaren, en ze kregen heel wat van die wapens in handen. Naar schatting zijn er vijftigduizend kalasjnikovs AK47, RPG-lanceerinrichtingen en M14-geweren Darfur binnen gekomen, en daar ook gebleven. De dorpelingen waren bang voor wat er komen ging en wilden ze niet inleveren.

Rebellengroepen uit Darfur die stijf stonden van dit soort vuurwapens gingen na de laatste zuivering van niet-Arabieren uit de regering een gesprek aan over onafhankelijkheid van Darfur en op 25 april 2003 vielen drieëndertig Land Cruisers van de rebellen een militaire regeringsbasis aan om de vliegtuigen en helikopters te verwoesten die hun dorpen hadden aangevallen. Voor straf liet president Bashir toen zijn oorlogshonden los: de gewapende Arabische Janjaweed-milities kregen groen licht. Met ondersteuning van tanks van de regering, voertuigen met machinegeweren, extra bewapende helikopters en bommenwerpers van het Soedanese leger begonnen deze Arabische milities inheemse dorpen aan te vallen en in brand te steken, en dat niet lukraak, maar op een systematische manier die tot doel had om elk dorp te verwoesten en iedereen te doden. Mannen, vrouwen en kinderen werden gedood. Dorpsleiders werden levend verbrand of doodgemarteld ten overstaan van vrienden en kinderen. Kinderen werden in het vuur gegooid. Putten werden vergiftigd met de lijken van kinderen. Wat politiek, milieu en cultuur betrof was alles voor een genocide in Darfur in stelling gebracht. U herinnert u misschien nog wat ik hierover in hoofdstuk 2 schreef:

> Het probleem met de rebellengroepen is dat vaak moeilijk valt te bepalen wie op een bepaalde dag aan welke kant staat. De Arabische regering in Khartoum – de regering van Soedan – doet valse beloften om nu eens met de ene rebellengroep tijdelijk vrede te sluiten en dan weer met de andere, louter en alleen om te zorgen dat de niet-Arabieren tegen elkaar blijven vechten. De regering heeft te maken met ambitieuze aanvoerders die zo stom zijn om te denken dat de regering hen na de oorlog zal bevorderen, terwijl ze dan juist afgedankt worden, of misschien zelfs gedood. Die afvallige aanvoerders krijgen soms te horen dat ze andere rebellengroepen moeten aanvallen of zelfs hulpverleners moeten doden en soldaten die uit andere landen worden gestuurd om toe te zien op de naleving en de wapenstilstandverdragen. Dit doen ze om ervoor te zorgen dat de genocide door kan gaan en het land gezuiverd kan worden van de inheemse volken. Misschien dat de geschiedenis zal aantonen dat ik ongelijk heb, maar zo kijken de meeste mensen die in dat gebied wonen er nu wel tegen aan.
>
> Ze denken ook dat de regering sommige traditionele Arabische volken, waarvan veel stammen normaal gesproken met ons bevriend zijn, geld betaalt om levensgevaarlijke milities te paard te vormen, *Janjaweed* genaamd, om de niet-Arabische Afrikanen wreed te vermoorden en onze dorpen plat te branden. Het woord *Janjaweed* is misschien afgeleid van een oud woord dat 'geloofskrijgers' betekent, maar het zou ook een combinatie van woorden kunnen zijn die 'slechte geesten te paard' betekent, of het betekent gewoon 'schutters te paard', zoals sommige mensen denken.

> Ik voorspel dat als de regering alle traditionele niet-Arabieren heeft verwijderd of gedood, ze de traditionele Arabieren tegen elkaar zullen laten vechten, zodat zij ook van het kostbare land zullen verdwijnen. Dit is al gaande in gebieden waar bijna alle niet-Arabische Afrikanen verdwenen zijn.

Ik vertel dit allemaal nog een keer omdat sommige mensen wel denken dat er in Darfur een eenvoudige vorm van genocide gaande is, maar het belangrijk is te weten dat dat niet zo is. Het is een gecompliceerde vorm van genocide.

De niet-Arabische traditionele Afrikanen van Darfur worden door Bashirs regering van Soedan systematisch vermoord en verdreven als onderdeel van een programma om zich van afwijkende politieke meningen te ontdoen, om zich van risico's voor de macht te ontdoen, om plaats te maken voor onbelemmerde exploitatie van de natuurlijke hulpbronnen en om een Arabische minderheid in een Arabische meerderheid om te zetten.

Kan dat in deze eeuw zomaar? Kun je al je problemen oplossen door iedereen die je in de weg loopt te vermoorden? Dat moet de wereld maar beslissen. De wereld moet beslissen of en wanneer de traditionele volken van Darfur naar huis mogen, en daarmee zal hij ook bepalen of genocide succesvol is of niet, en dus ook of die elders in de wereld nog een keer zal plaatsvinden. Dit lijkt mij een mooi moment om genocide eens en voor altijd een halt toe te roepen.

Om dat te bereiken moet de bevolking van Darfur die van zijn land is verdreven gerepatrieerd worden. De kampen die zich nu in Tsjaad bevinden kunnen als nieuwe steden naar Darfur verplaatst worden en zullen scholen en ziekenhuizen met zich meebrengen, en mogelijkheden voor persoonlijke ontwikkeling op tal van gebieden waar daar nooit eerder sprake van is geweest. Vanuit deze nieuwe steden kunnen dan het dorpsleven en nieuwe landbouw opbloeien. De Verenigde Naties kunnen hiervoor een beschermde zone inrichten, net zoals ze voor andere mensen over de hele wereld gedaan hebben die bescherming nodig hadden om een evenwichtig leven te kunnen leiden. In ruil voor deze bescherming zullen de volledige rechten van de mens voor de mannen en vrouwen in deze gebieden, diezelfde rechten die zo mooi beschreven zijn door Eleanor Roosevelt en anderen in de Universele Verklaring van de Rechten van de Mens, aan de oude gebruiken worden toegevoegd. De Universele Verklaring is al sinds lange tijd in de internationale wetgeving opgenomen.

Dit behoort allemaal tot de mogelijkheden. Wat is er op dit moment belangrijker voor de wereld dan dat een levenswijze die in evenwicht is met de aarde behouden blijft?

Op 10 december 1948 heeft de Algemene Vergadering van de Verenigde Naties

DE UNIVERSELE VERKLARING VAN DE RECHTEN VAN DE MENS

geproclameerd

Preambule

Overwegende, dat erkenning van de inherente waardigheid en van de gelijke en onvervreemdbare rechten van alle leden van de mensengemeenschap grondslag is voor de vrijheid, gerechtigheid en vrede in de wereld;

Overwegende, dat terzijdestelling van en minachting voor de rechten van de mens geleid hebben tot barbaarse handelingen, die het geweten van de mensheid geweld hebben aangedaan en dat de komst van een wereld, waarin de mensen vrijheid van meningsuiting en geloof zullen genieten, en vrij zullen zijn van vrees en gebrek, is verkondigd als het hoogste ideaal van iedere mens;

Overwegende, dat het van het grootste belang is, dat de rechten van de mens beschermd worden door de suprematie van het recht, opdat de mens niet gedwongen worde om in laatste instantie zijn toevlucht te nemen tot opstand tegen tyrannie en onderdrukking;

Overwegende, dat het van het grootste belang is om de ontwikkeling van vriendschappelijke betrekkingen tussen de naties te bevorderen;

Overwegende, dat de volkeren van de Verenigde Naties in het Handvest hun vertrouwen in de fundamentele rechten van de mens, in de waardigheid en de waarde van de mens en in de gelijke rechten van mannen en vrouwen opnieuw hebben bevestigd, en besloten hebben om sociale vooruitgang en een hogere levensstandaard in groter vrijheid te bevorderen;

Overwegende, dat de Staten, welke Lid zijn van de Verenigde Naties, zich plechtig verbonden hebben om, in samenwerking met de Organisatie van de Verenigde Naties, overal de eerbied voor en inachtneming van de rechten van de mens en de fundamentele vrijheden te bevorderen;

Overwegende, dat het van het grootste belang is voor de volledige nakoming van deze verbintenis, dat een ieder begrip hebbe voor deze rechten en vrijheden;

Op grond daarvan proclameert de Algemene Vergadering deze Universele Verklaring van de Rechten van de Mens als het gemeenschappelijk door alle volkeren en alle naties te bereiken ideaal, opdat ieder individu en elk orgaan van de gemeenschap, met deze verklaring voortdurend voor ogen, er naar zal streven door onderwijs en opvoeding de eerbied voor deze rechten en vrijheden te bevorderen, en door vooruitstrevende maatregelen, op nationaal en internationaal terrein, deze rechten algemeen en daadwerkelijk te doen erkennen en toepassen, zowel onder de volkeren van Staten die Lid van de Verenigde Naties zijn, zelf, als onder de volkeren van gebieden, die onder hun jurisdictie staan:

Artikel 1
Alle mensen worden vrij en gelijk in waardigheid en rechten geboren. Zij zijn begiftigd met verstand en geweten, en behoren zich jegens elkander in een geest van broederschap te gedragen.

Artikel 2
Een ieder heeft aanspraak op alle rechten en vrijheden, in deze Verklaring opgesomd, zonder enig onderscheid van welke aard ook, zoals ras, kleur, geslacht, taal, godsdienst, politieke of andere overtuiging, nationale of maatschappelijke afkomst, eigendom, geboorte of andere status.

Verder zal geen onderscheid worden gemaakt naar de politieke, juridische of internationale status van het land of gebied, waartoe iemand behoort, onverschillig of het een onafhankelijk, trust-, of niet-zelfbesturend gebied betreft, dan wel of er een andere beperking van de soevereiniteit bestaat.

Artikel 3
Een ieder heeft het recht op leven, vrijheid en onschendbaarheid van zijn persoon.

Artikel 4
Niemand zal in slavernij of horigheid gehouden worden. Slavernij en slavenhandel in iedere vorm zijn verboden.

Artikel 5
Niemand zal onderworpen worden aan folteringen, noch aan een wrede, onmenselijke of onterende behandeling of bestraffing.

Artikel 6
Een ieder heeft, waar hij zich ook bevindt, het recht als persoon erkend te worden voor de wet.

Artikel 7
Allen zijn gelijk voor de wet en hebben zonder onderscheid aanspraak op gelijke bescherming door de wet. Allen hebben aanspraak op gelijke bescherming tegen iedere achterstelling in strijd met deze Verklaring en tegen iedere ophitsing tot een dergelijke achterstelling.

Artikel 8
Een ieder heeft recht op daadwerkelijke rechtshulp van bevoegde nationale rechterlijke instanties tegen handelingen, welke in strijd zijn met de grondrechten hem toegekend bij Grondwet of wet.

Artikel 9
Niemand zal onderworpen worden aan willekeurige arrestatie, detentie of verbanning.

Artikel 10
Een ieder heeft, in volle gelijkheid, recht op een eerlijke en openbare behandeling van zijn zaak door een onafhankelijke en onpartijdige rechterlijke instantie bij het vaststellen van zijn rechten en verplichtingen en bij het bepalen van de gegrondheid van een tegen hem ingestelde strafvervolging.

Artikel 11
Een ieder, die wegens een strafbaar feit wordt vervolgd, heeft er recht op voor onschuldig gehouden te worden, totdat zijn schuld krachtens de wet bewezen wordt in een openbare rechtszitting, waarbij hem alle waarborgen, nodig voor zijn verdediging, zijn toegekend.

Niemand zal voor schuldig gehouden worden aan enig strafrechtelijk vergrijp op grond van enige handeling of enig verzuim, welke naar nationaal of internationaal recht geen strafrechtelijk vergrijp betekenden op het tijdstip, waarop de handeling of het verzuim begaan werd. Evenmin zal een zwaardere straf worden opgelegd dan die, welke ten tijde van het begaan van het strafbare feit van toepassing was.

Artikel 12
Niemand zal onderworpen worden aan willekeurige inmenging in zijn persoonlijke aangelegenheden, in zijn gezin, zijn tehuis of zijn briefwisseling, noch aan enige aantasting van zijn eer of goede naam. Tegen een dergelijke inmenging of aantasting heeft een ieder recht op bescherming door de wet.

Artikel 13
Een ieder heeft het recht zich vrijelijk te verplaatsen en te vertoeven binnen de grenzen van elke Staat.

Een ieder heeft het recht welk land ook, met inbegrip van het zijne, te verlaten en naar zijn land terug te keren.

Artikel 14
Een ieder heeft het recht om in andere landen asiel te zoeken en te genieten tegen vervolging.

Op dit recht kan geen beroep worden gedaan ingeval van strafvervolgingen wegens misdrijven van niet-politieke aard of handelingen in strijd met de doeleinden en beginselen van de Verenigde Naties.

Artikel 15
Een ieder heeft het recht op een nationaliteit.

Aan niemand mag willekeurig zijn nationaliteit worden ontnomen, noch het recht worden ontzegd om van nationaliteit te veranderen.

Artikel 16
Zonder enige beperking op grond van ras, nationaliteit of godsdienst, hebben mannen en vrouwen van huwbare leeftijd het recht om te huwen en een gezin te stichten. Zij hebben gelijke rechten wat het huwelijk betreft, tijdens het huwelijk en bij de ontbinding ervan.

Een huwelijk kan slechts worden gesloten met de vrije en volledige toestemming van de aanstaande echtgenoten.

Het gezin is de natuurlijke en fundamentele groepseenheid van de maatschappij en heeft recht op bescherming door de maatschappij en de Staat.

Artikel 17
Een ieder heeft recht op eigendom, hetzij alleen, hetzij tezamen met anderen.

Niemand mag willekeurig van zijn eigendom worden beroofd.

Artikel 18
Een ieder heeft recht op vrijheid van gedachte, geweten en godsdienst; dit recht omvat tevens de vrijheid om van godsdienst of overtuiging te veranderen, alsmede de vrijheid hetzij alleen, hetzij met anderen zowel in het openbaar als in zijn particuliere leven zijn godsdienst of overtuiging te belijden door het onderwijzen ervan, door de praktische toepassing, door eredienst en de inachtneming van de geboden en voorschriften.

Artikel 19
Een ieder heeft recht op vrijheid van mening en meningsuiting. Dit recht omvat de vrijheid om zonder inmenging een mening te koesteren en om door alle middelen en ongeacht grenzen inlichtingen en denkbeelden op te sporen, te ontvangen en door te geven.

Artikel 20
Een ieder heeft recht op vrijheid van vreedzame vereniging en vergadering.

Niemand mag worden gedwongen om tot een vereniging te behoren.

Artikel 21
Een ieder heeft het recht om deel te nemen aan het bestuur van zijn land, rechtstreeks of door middel van vrij gekozen vertegenwoordigers.

Een ieder heeft het recht om op voet van gelijkheid te worden toegelaten tot de overheidsdiensten van zijn land.

De wil van het volk zal de grondslag zijn van het gezag van de Regering; deze wil zal tot uiting komen in periodieke en eerlijke verkiezingen, die gehouden zullen worden krachtens algemeen en gelijkwaardig kiesrecht en bij geheime stemmingen of volgens een procedure, die evenzeer de vrijheid van de stemmen verzekert.

Artikel 22
Een ieder heeft als lid van de gemeenschap recht op maatschappelijke zekerheid en heeft er aanspraak op, dat door middel van nationale inspanning en internationale samenwerking, en overeenkomstig de organisatie en de hulpbronnen van de betreffende Staat, de economische, sociale en culturele rechten, die onmisbaar zijn voor zijn waardigheid en voor de vrije ontplooiing van zijn persoonlijkheid, verwezenlijkt worden.

Artikel 23

Een ieder heeft recht op arbeid, op vrije keuze van beroep, op rechtmatige en gunstige arbeidsvoorwaarden en op bescherming tegen werkloosheid.

Een ieder, zonder enige achterstelling, heeft recht op gelijk loon voor gelijke arbeid.

Een ieder, die arbeid verricht, heeft recht op een rechtvaardige en gunstige beloning, welke hem en zijn gezin een menswaardig bestaan verzekert, welke beloning zo nodig met andere middelen van sociale bescherming zal worden aangevuld.

Een ieder heeft het recht om vakverenigingen op te richten en zich daarbij aan te sluiten ter bescherming van zijn belangen.

Artikel 24

Een ieder heeft recht op rust en op eigen vrije tijd, met inbegrip van een redelijke beperking van de arbeidstijd, en op periodieke vakanties met behoud van loon.

Artikel 25

Een ieder heeft recht op een levensstandaard, die hoog genoeg is voor de gezondheid en het welzijn van zichzelf en zijn gezin, waaronder inbegrepen voeding, kleding, huisvesting en geneeskundige verzorging en de noodzakelijke sociale diensten, alsmede het recht op voorziening in geval van werkloosheid, ziekte, invaliditeit, overlijden van de echtgenoot, ouderdom of een ander gemis aan bestaansmiddelen, ontstaan ten gevolge van omstandigheden onafhankelijk van zijn wil.

Moeder en kind hebben recht op bijzondere zorg en bijstand. Alle kinderen, al dan niet wettig, zullen dezelfde sociale bescherming genieten.

Artikel 26
Een ieder heeft recht op onderwijs; het onderwijs zal kosteloos zijn, althans wat het lager en basisonderwijs betreft. Het lager onderwijs zal verplicht zijn. Ambachtsonderwijs en beroepsopleiding zullen algemeen beschikbaar worden gesteld. Hoger onderwijs zal openstaan voor een ieder, die daartoe de begaafdheid bezit.

Het onderwijs zal gericht zijn op de volle ontwikkeling van de menselijke persoonlijkheid en op de versterking van de eerbied voor de rechten van de mens en de fundamentele vrijheden. Het zal het begrip, de verdraagzaamheid en de vriendschap onder alle naties, rassen of godsdienstige groepen bevorderen en het zal de werkzaamheden van de Verenigde Naties voor de handhaving van de vrede steunen.

Aan de ouders komt in de eerste plaats het recht toe om de soort van opvoeding en onderwijs te kiezen, welke aan hun kinderen zal worden gegeven.

Artikel 27
Een ieder heeft het recht om vrijelijk deel te nemen aan het culturele leven van de gemeenschap, om te genieten van kunst en om deel te hebben aan wetenschappelijke vooruitgang en de vruchten daarvan.

Een ieder heeft het recht op de bescherming van de geestelijke en materiële belangen, voortspruitende uit een wetenschappelijk, letterkundig of artistiek werk, dat hij heeft voortgebracht.

Artikel 28
Een ieder heeft recht op het bestaan van een zodanige maatschappelijke en internationale orde, dat de rechten en vrijheden, in deze Verklaring genoemd, daarin ten volle kunnen worden verwezenlijkt.

Artikel 29
Een ieder heeft plichten jegens de gemeenschap, zonder welke de vrije en volledige ontplooiing van zijn persoonlijkheid niet mogelijk is.

In de uitoefening van zijn rechten en vrijheden zal een ieder slechts onderworpen zijn aan die beperkingen, welke bij de wet zijn vastgesteld en wel uitsluitend ter verzekering van de onmisbare erkenning en eerbiediging van de rechten en vrijheden van anderen en om te voldoen aan de gerechtvaardigde eisen van de moraliteit, de openbare orde en het algemeen welzijn in een democratische gemeenschap.

Deze rechten en vrijheden mogen in geen geval worden uitgeoefend in strijd met de doeleinden en beginselen van de Verenigde Naties.

Artikel 30
Geen bepaling in deze Verklaring zal zodanig mogen worden uitgelegd, dat welke Staat, groep of persoon dan ook, daaraan enig recht kan ontlenen om iets te ondernemen of handelingen van welke aard ook te verrichten, die vernietiging van een van de rechten en vrijheden, in deze Verklaring genoemd, ten doel hebben.

Over de auteur

Daoud Hari is geboren in de streek Darfur in Soedan. Nadat hij bij een aanval op zijn dorp had weten te ontkomen, ging hij naar de vluchtelingenkampen in Tsjaad en werkte daar als tolk voor de grote nieuwsorganen, zoals de *New York Times*, NBC en de BBC, maar ook voor de VN en andere hulporganisaties. Hij nam deel aan de Voices of Darfur-tournee voor SaveDarfur.org. Hij woont nu in Baltimore.